Guía de vitaminas y minerales

Jody Vassallo

Grupo Editorial Tomo, S.A. de C.V.
Nicolás San Juan 1043
03100 México, D.F.

LAS VITAMINAS Y LOS MINERALES son sustancias naturales esenciales

para la vida. Son necesarias en pequeñas cantidades pero tienen efectos poderosos sobre la salud y el bienestar. Se obtienen al consumir diferentes alimentos combinados para formar una dieta balanceada y sana.

VITAMINAS

Son micronutrientes necesarios para el funcionamiento normal de todos nuestros órganos y para funciones como el crecimiento, la reproducción y la reparación tisular. Aunque no proporcionan energía son necesarias para la liberación de energía a partir de los macronutrientes, carbohidratos, grasas y proteínas. A excepción de las vitaminas D y K, el resto no se produce en el cuerpo de manera que se obtienen a partir de los alimentos que consumimos. Las vitaminas se dividen en dos grandes grupos: las liposolubles y las hidrosolubles.

VITAMINAS LIPOSOLUBLES: Incluyen las vitaminas A, D, E y K, cada una de las cuales tiene funciones únicas (ver página 8) y se encuentran en alimentos que contengan grasa como los aceites, los lácteos, la carne, el pescado, las nueces y los granos. Debido a que las vitaminas liposolubles pueden almacenarse en el cuerpo durante mucho tiempo, es tóxico consumir grandes cantidades. Son estables durante la cocción y el procesamiento, pero se destruyen por la exposición al aire, la luz o a altas temperaturas.

VITAMINAS HIDROSOLUBLES: Vitamina C y 8 grupos de vitaminas B. Se disuelven en agua de manera que las cantidades excesivas se eliminan por medio de la orina, aunque las grandes cantidades de algunas vitaminas B (B6 y B12) ocasionan problemas de toxicidad. Estas vitaminas se pierden al lavar, remojar o hervir los alimentos y se destruyen por el aire o las altas temperaturas

MINERALES

Son esenciales para muchos procesos como mantener el equilibrio de líquidos del cuerpo y la estructura de las hormonas, huesos y dientes, la regulación de la presión sanguínea, sanación de las heridas y la actividad muscular y nerviosa. El cuerpo no puede producir minerales de manera que debemos obtenerlos de lo que comemos. Se dividen en dos grupos: macrominerales y microminerales.

MACROMINERALES: Calcio, sodio, potasio, magnesio, fósforo, cloro y azufre. Se clasifican como macrominerales porque están presentes en el cuerpo en mayores cantidades que los pertenecientes a la segunda categoría, los microminerales.

MICROMINERALES: Hierro, cobre, zinc, manganeso, selenio, yodo, cromo, flúor y molibdeno. Cada uno tiene funciones diferentes y provocan síntomas de deficiencia individuales si no se consumen en cantidades suficientes. En el cuerpo también se encuentran otros microminerales como el boro, níquel y silicón pero se desconocen las cantidades que necesitamos para una óptima salud.

Los minerales tienden a ser más estables que las vitaminas aunque los niveles contenidos en los alimentos son afectados por el procesamiento y los métodos de preparación. La disponibilidad de los minerales a partir de los alimentos que consumimos es afectada por otros nutrientes (ver tabla de la siguiente página). Por ejemplo, la fibra dietética reduce la absorción de algunos minerales de la comida mientras que la lactosa de la leche aumenta la absorción del calcio.

La absorción y funciones de muchos minerales están interrelacionadas, de manera que la deficiencia o exceso de uno afecta la absorción y funcionamiento de otros. Por esta razón sólo debe tomarse altas dosis de complementos minerales bajo estricta supervisión médica (ver también "Complementos," página 6).

¿QUÉ CANTIDAD DE CADA MINERAL Y VITAMINA NECESITAMOS?

Depende de la edad, género, talla, nivel de actividad física, estatus fisiológico (como embarazo, amamantamiento, enfermedad), consumo de medicamentos y factores del estilo

EN CUANTO A LOS MINERALES

Mineral	Disponibilidad/uso **aumentado** por	Disponibilidad/uso **disminuido** por
Calcio	Vitamina D Ejercicio regularmente Lactosa	Alta ingesta de fibra Oxalato de espinacas y ruibarbo Ingesta excesiva de grasas saturadas
Hierro	Vitamina C	Alta ingesta de fibra Tanina (como en té) Exceso de zinc
Zinc	Proteína Energía adecuada (calorías)	Alta ingesta de fibra Exceso de alcohol Exceso de hierro Exceso de calcio
Selenio	Vitaminas A, C y E	No se aplica

de vida (como estrés, fumar, exposición a la contaminación, consumo de alcohol y grasas). Los científicos también intentan descubrir si la gente con un historial clínico familiar de cáncer, osteoporosis, enfermedades cardiacas y otras enfermedades pueda reducir el riesgo de desarrollarlas al consumir mayores cantidades de ciertos minerales y vitaminas. Sin embargo, la gente sana debe obtener todas las vitaminas y minerales que necesita a partir de una dieta balanceada y variada.

Valores dietéticos de referencia

En 1991, el Departamento de Salud del Reino Unido publicó los Valores Dietéticos de Referencia (DRV, por sus siglas en inglés) para Alimentos, Energía y Nutrientes del Reino Unido. DRV es un término general para las recomendaciones dietéticas actuales. Antes de la publicación de dicho documento se usaba el término Cantidades Diarias Recomendadas (RDA, por sus siglas en inglés). Los valores de RDA eran altos en comparación a los requerimientos promedio para asegurar que cubrían los requerimientos de todos los grupos de la población. A pesar de que no estaban dirigidos a individuos, con frecuencia se usaban así de manera errónea. Al dar un rango de ingesta de energía y nutrientes basados en la distribución de los requerimientos, más que en sólo una cifra, los DRV reconocen el amplio rango de requerimientos de los individuos que forman una población.

DRV es un término general que abarca:
Requerimiento Medio Estimado (EAR, por sus siglas en inglés). Es el requerimiento promedio de un grupo de un nutriente o energía en particular. Algunas personas necesitan más y otras menos que el EAR.

Referencia de Ingesta de Nutrientes (RNI, por sus siglas en inglés). Es la cantidad suficiente de un nutriente para casi todos los individuos. Es un nivel de ingesta mayor al que la mayoría de las personas necesitan.

Referencia Menor de Ingesta de Nutrientes (LRNI, por sus siglas en inglés). Es la cantidad suficiente de un nutriente para sólo algunos individuos con necesidades menores. La mayoría de la gente necesita más que la LRNI.

Ingesta Sana. Es un rango de ingesta suficiente para satisfacer las necesidades de casi todos los individuos y no tan alto como para ocasionar efectos adversos. Se otorga a los nutrientes para los que existe información insuficiente para calcular precisamente los requerimientos.

DRV da una guía general en cuanto a si la dieta de un individuo es nutricionalmente adecuada o no. Este libro proporciona la RNI para la mayoría de los minerales y vitaminas puesto que es el nivel que resulta más adecuado para la mayoría.

INGESTAS ÓPTIMAS

La ingesta de nutrientes con relación a la salud algunas veces se describe de la siguiente manera: deficiente, adecuada, óptima, excesiva, tóxica. Las RNI se establecen a un nivel para prevenir la deficiencia. Una ingesta "óptima" se refiere a un nivel de ingesta que no sólo previene la deficiencia sino que mejora la salud o nos protege de enfermedades. Los científicos no han podido calcular la RNI para una salud óptima y no recomiendan el consumo regular de dosis altas de vitaminas y complementos minerales.

ETIQUETAS DE LOS ALIMENTOS

Las RNI utilizadas en el Reino Unido se calculan a partir de estudios de los requerimientos fisiológicos de personas sanas. Pero debido a que dichos estudios están sujetos a interpretación, los valores RNI varían según el país (por ejemplo, la RNI es menor en el Reino Unido que en Estados Unidos). Las regulaciones de la Unión Europea exigen que la RDA se exhiba en las etiquetas de la comida y de los complementos a la venta en el Reino Unido. Las RDA se refieren sólo a "adultos promedio" y dan una guía superficial en cuanto a los requerimientos. No son lo mismo que las RNI.

VITAMINAS Y MINERALES QUE NECESITAS DE UNA DIETA SANA

El diagrama de la derecha muestra la clase de alimentos y las proporciones en que debemos consumirlos para llevar una dieta sana y balanceada que contenga las vitaminas y minerales que necesitamos.

Panes, cereales y papas

Por lo menos la mitad de las calorías que comemos deben provenir de almidones incluidos en este grupo. Debido a que son grandes, con bajo contenido de grasa y ricos en fibra, estos alimentos nos dejan satisfechos sin proporcionarnos demasiadas calorías. Lo que servimos para acompañarlos (pan con mantequilla o salsas con mucha grasa para las pastas) añade las calorías y la grasa. Este grupo incluye cereales, avenas, pastas, fideos, plátanos, frijoles y lentejas. Estos alimentos

dan carbohidratos (almidón), calcio y hierro y vitaminas B.

Frutas y verduras

Consume muchos de estos alimentos –por lo menos cinco porciones al día. Elige de entre diferentes frutas y verduras frescas, congeladas o enlatadas. Ofrecen vitaminas antioxidantes, en especial vitamina C y carotenos (vitamina A) así como folato, fibra y algunos carbohidratos. También son bajas en grasa y calorías.

Leche y productos lácteos

Consume cantidades moderadas de estos alimentos y elige las presentaciones bajas en grasa. Este grupo incluye leche, quesos, yogurt y fromage frais y no incluye mantequilla, huevo y crema. La leche y los lácteos dan calcio, proteínas, vitaminas B12, A y D. Aunque la leche descremada y la semi-descremada contienen menos vitaminas A y D liposolubles, su contenido de calcio es igual a la leche entera de vaca.

Carne, pescado y alternativos

Consume cantidades moderadas de estos alimentos y elige alternativas bajas en grasa. Este grupo incluye huevo, nueces, proteínas de textura vegetal, tofu, frijoles y lentejas. Consume por lo menos dos porciones de pescado a la semana, una de las cuales debe ser con alto contenido de aceite (por ejemplo, sardina, atún, salmón). Los aceites de pescado contienen ácidos grasos omega-3, los cuales ayudan a prevenir la formación de coágulos en la sangre y así se reduce el riesgo de enfermedades cardiacas. Estos alimentos proporcionan hierro, proteínas, vitaminas B, zinc y magnesio.

Alimentos que contienen grasa y/o azúcar

Consume estos alimentos esporádicamente y elige los que contengan menos grasa. Dentro de este grupo se encuentran la mantequilla, otras pastas para untar, aderezos de ensaladas y galletas, pasteles, chocolates, helados, dulces, frituras y bebidas endulzadas. Los alimentos azucarados deben ser limitados puesto que el consumo frecuente daña a los dientes.

CÓMO CONSUMIR UNA DIETA SANA

Para asegurarte de que consumes todos los nutrientes necesarios para una dieta sana debes comer diferentes alimentos y:

• Consumir una dieta baja en grasa en la que no más del 35% de las calorías provengan de la grasa. Para los varones (con peso adecuado), consumir 2500 calorías diarias es equivalente a 95g de grasa al día. Para las mujeres (con peso adecuado), consumir 2000 calorías diarias es equivalente a 75g de grasa al día.

• Reemplazar la grasa saturada de tu dieta con no-saturadas, en particular las mono no-saturadas. No más del 10% de las calorías que consumes debe provenir de grasas saturadas. La grasa en la comida contiene una mezcla de grasa saturada, mono no-saturada y poli no-saturada, pero siempre predomina un tipo. Una manera de consumir menos saturadas es comer menos grasa.

• Aumentar la ingesta de poli no-saturadas n-3 (ácidos grasos omega-3) al comer por lo menos 2 porciones de pescado cada semana, una de las cuales debe ser con alto contenido de aceite.

• Asegurarte de que la mitad de las calorías que consumas provenga de carbohidratos de almidón como papas, pan, arroz, pasta y otros cereales. Para la mayoría de nosotros, esto significa consumir por lo menos la mitad de estos alimentos.

• Consumir por lo menos 5 porciones de frutas y verduras al día.

• Consumir mucha fibra (alrededor de 18g) por día. Incluye la fibra soluble que se encuentra en la avena, legumbres, frutas y verduras así como la fibra insoluble del pan integral, pasta integral, arroz de grano entero y cereales integrales.

• Beber con moderación. Las mujeres deben beber no más de 2 a 3 unidades de alcohol al día y los varones de 3 a 4 unidades por día. Estos son límites máximos y es mejor mantenerse por debajo de ellos.

• Consumir menos sal (cloruro de sodio). La mayoría de la sal que comemos proviene de

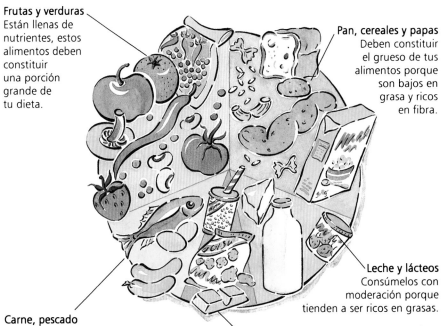

Frutas y verduras
Están llenas de nutrientes, estos alimentos deben constituir una porción grande de tu dieta.

Pan, cereales y papas
Deben constituir el grueso de tus alimentos porque son bajos en grasa y ricos en fibra.

Leche y lácteos
Consúmelos con moderación porque tienden a ser ricos en grasas.

Carne, pescado y alternativos Estos alimentos son una buena fuente de proteínas, pero es mejor consumirlos con moderación.

Alimentos que contienen grasa y/o azúcar
Limita tu ingesta de estos alimentos porque pueden ocasionar obesidad y problemas dentales.

comidas procesadas y manufacturadas más que de la que usamos al cocinar o en la mesa.

• No consumir muy seguido alimentos y bebidas endulzadas con azúcar. Contienen calorías pero pocos nutrientes y contribuyen al sobrepeso y a problemas dentales.

SACANDO EL MAYOR PROVECHO DE LA COMIDA

Aunque tendemos a creer que los alimentos modernos contienen menos vitaminas y minerales, los supermercados están repletos de alimentos nutritivos –frescos, congelados y secos. A algunos alimentos se les añaden vitaminas y minerales para reemplazar los que se perdieron durante el proceso de manufactura (como los cereales y panes fortificados) o para aumentar el contenido de nutrientes de la comida (algunos tipos de leche y pastas para untar). Existen maneras de conservar más nutrientes en la comida que preparas:

• Cuando compres verduras y frutas frescas asegúrate de que sean frescas y consúmelas pronto. Guárdalas en un lugar oscuro, fresco y seco durante el menor tiempo posible.
• Para conservar más vitaminas blanquea y congela la fruta y las verduras frescas.
• Cuando prepares frutas y verduras córtalas con un cuchillo filoso y no las rebanes muy delgado. Trata de no quitar la cáscara. Por ejemplo, en las papas, la mayoría de la vitamina C se encuentra justo debajo de la cáscara.
• Consume verduras crudas y si vas a cocinarlas prepáralas justo antes de hacerlo. Cocerlas en el microondas o con el método stir fry mantiene más nutrientes que al hervirlas. Cuece las verduras durante poco tiempo y en poca agua. Si vas a hervirlas, primero hierve el agua, corta las verduras y después mételas al agua. Las vitaminas C y B se destruyen con facilidad al hervir, se quedan en el agua de cocción.
• Come los alimentos inmediatamente después de cocerlos. Mantener la comida caliente durante, por ejemplo, 15 minutos reduce el contenido de vitamina C en un 25 %.
• La fruta y verdura fresca no siempre es mejor que la enlatada o congelada. Los frijoles enlatados contienen niveles similares de nutrientes que los cocinados en casa; los chícharos

congelados recalentados contienen más nutrientes que los frescos cocidos en exceso.
• No uses bicarbonato de sodio cuando cocines (se usa para mantener el color verde de las verduras) puesto que destruye la vitamina C.

COMPLEMENTOS

Hasta este momento es seguro afirmar que no existe el complemento perfecto y es claro que una dieta balanceada ofrece más beneficios de salud. Las comidas completas son un contenedor de nutrientes y otros factores benéficos que no se encuentran en los complementos. Por ejemplo, una naranja contiene vitamina C con caroteno, folato, calcio, fibra y otros componentes bio-activos que protegen tu salud. En un complemento de vitamina C no encuentras todos estos elementos. Además del sabor, las siguientes son algunas razones por las cuales debemos obtener los nutrientes de la comida más que de complementos:

• Otros componentes de la comida (que no se encuentran en los complementos) aumentan la absorción de nutrientes.
• La composición química de un nutriente puede ser diferente que la forma natural y quizá no se absorba de la misma manera.
• Una dosis alta de complementos reduce la absorción de otros nutrientes.
• Tomar cantidades excesivas de algunos nutrientes puede tener efectos tóxicos, o en el caso de algunas vitaminas hidrosolubles, el exceso puede ser eliminado en la orina.
• Los alimentos también contienen otros componentes bio-activos (o fitoquímicos) que tienen propiedades antioxidantes y ayudan a protegernos contra el cáncer, enfermedades cardiacas y diabetes.

¿Cuándo se necesitan complementos?

En algunas circunstancias, los complementos de vitaminas y minerales son necesarios para mejorar tu salud o para prevenir que se desarrolle un problema de salud. Existen dos razones por las cuales no obtienes los nutrientes que necesitas a partir de tu dieta: no comes suficiente o no absorbes suficiente. Algunas personas no obtienen todos los nutrientes que necesitan de su dieta porque no consumen alimentos balanceados o porque tienen un mayor requerimiento de nutrientes (como durante el embarazo, una enfermedad o altos niveles de actividad). También, grandes ingestas de grasa, alcohol y ciertos medicamentos aumentan el uso corporal de ciertas vitaminas y minerales mientras que algunas enfermedades y medicamentos evitan que sean absorbidos. A pesar de que hay personas que obtienen todas las vitaminas y minerales necesarios a partir de una dieta sana, algunos grupos de gente se benefician de ciertos complementos:

• El ácido fólico es recomendado para mujeres que planean concebir. Deben tomar 400mcg de ácido fólico todos los días hasta el final de la duodécima semana de embarazo para reducir el riesgo de que el bebé nazca con problemas en el tubo neural.
• Los niños de menos de 4 años necesitan vitamina D, también embarazadas y durante la lactancia, y personas mayores de 65 años que no consumen carne y pescado. También es necesaria para la gente que rara vez sale a exteriores (como alguien recluido en residencias de atención) o para quienes se cubren bajo mucha ropa. Niños afro-caribeños que sean vegetarianos estrictos y bebés y mujeres de algunas comunidades asiáticas quizá necesiten vitamina D extra.
• Las vitaminas A, C y D en gotas son recomendadas para niños menores de 5 años cuando sus dietas no son suficientes. Un bebé debe tomar vitamina en gotas (a la venta en centros de salud) a partir de los 6 meses si está tomando pecho o cuando consume menos de 1 pinta de fórmula para bebé diariamente. Pregunta al especialista.

De igual manera, si entras en cualquiera de las siguientes categorías es posible que te beneficie tomar complementos y debes solicitar consejo médico:

• Mujeres con periodos abundantes regulares deben tomar complementos de hierro.
• Si fumas o bebes en exceso toma complementos como vitamina C y algunas B.
• Si no consumes grupos enteros de alimentos debido a tu dieta o por alergia o intolerancia. Por ejemplo, no consumir lácteos significa que necesitas calcio y vitamina D extra.

• Si llevas una dieta vegetariana estricta necesitas hierro, vitamina B12 y vitamina D.
• Si tienes una dieta de pocas calorías para bajar de peso necesitas hierro, calcio y zinc.
• Si tomas medicamentos por tiempo prolongado es posible que interfiera con la absorción de algunos nutrientes.
Si estás sano y quieres tomar complementos elige uno multi-vitaminas/minerales con cantidades de la RNI o menos.

USANDO LAS TABLAS
Este libro contiene cuadros y tablas, uno para cada vitamina y la mayoría de los minerales, listas de alimentos que son fuente de esos nutrientes. Cada cuadro presenta la RNI para adultos y la cantidad promedio de vitaminas y minerales contenidos en 100g de la parte comestible de la comida. Las vitaminas y los minerales están presentes en los alimentos (y son necesarios) en pequeñas cantidades, por ejemplo en miligramos (mg) o microgramos (mcg). Las tablas te ayudarán a calcular el contenido de nutrientes de tu dieta y así mejorar tus hábitos alimenticios al elegir mejor los alimentos y satisfacer la RNI. Todos los valores nutricionales se refieren a alimentos crudos, a menos que se especifique lo contrario. En la mayoría de los casos, el contenido de nutrientes mostrado es la cantidad promedio encontrado en la comida del Reino Unido. En caso de que no se contara con datos del Reino Unido se utilizan fuentes australianas. Las comidas al principio de la lista contienen cantidades relativamente altas del nutriente por cada 100g. Aunque no todos estos alimentos se consumen en grandes cantidades, como el extracto de levadura o la avena de trigo, son una contribución importante a la ingesta de nutrientes si se consumen con regularidad. Por otro lado, algunas de las comidas del final de las listas (las cuales contienen menor cantidad del nutriente) pueden ser consumidos en mayores cantidades, como las papas y la pasta, y así son más importantes para tu ingesta de nutrientes. Por ejemplo, las papas representan el 35% de la ingesta de vitamina C en el Reino Unido. Las recetas y sugerencias que vienen con las listas dan ejemplos de cómo incorporar estos alimentos a tu dieta diaria.

VITAMINAS
LIPOSOLUBLES

	RNI	FUNCIÓN
VITAMINA A	Mujeres de 11 años o más: 600mcg RE*/día. Embarazo: 700mcg RE/día. Lactancia: 950 mcg RE/día. Varones de 15 años o más: 700mcg RE/día. No exceder: 7500mcg RE/día (mujeres): embarazadas ver página 22; 9000mcg RE/día (varones).	Para reproducción y desarrollo. Necesaria para piel, ojos y cabello sanos. Ayuda al cuerpo a combatir infecciones y mantiene sanas las membranas mucosas.
VITAMINA D	No RNI excepto varones y mujeres de 65+ años: 10mcg/día. Embarazo y lactancia: 10mcg/día. La vitamina D se crea cuando la piel es expuesta al sol.	Necesaria para la absorción de calcio y fósforo, para dientes y huesos sanos.
VITAMINA E	Ingesta sana:** Varones más de 4mg/día. Mujeres más de 3mg/día.	Antioxidante natural, ayuda a sanar, previene la formación de cicatrices. Mantiene sanos a los nervios y a los glóbulos rojos. Protege las membranas de las células.
VITAMINA K	Ingesta sana: Adultos 1mcg/kg de peso/día. La mayoría de la vitamina K del cuerpo es sintetizada por bacterias intestinales, sólo se obtiene el 20% de los alimentos.	Ayuda la coagulación de la sangre para detener la hemorragia.
OTROS NUTRIENTES LIPOSOLUBLES	Aproximadamente 1% del total de la ingesta de energía (kj/cal).	Necesaria para desarrollo y crecimiento normales, ojos y piel sana.
ÁCIDOS GRASOS ESENCIALES	No RNI	

*RE Vitamina A dietética (o retinol) es medida en equivalentes de retinol (RE) porque, al igual que la vitamina A presente en alimentos de origen animal, el beta-caroteno (también llamado pro-vitamina A) contenido en alimentos vegetales es convertido en retinol en el cuerpo. 6mcg de beta-caroteno equivalen a 1mcg de retinol. De manera que RE representa el retinol presente en los alimentos más la vitamina A que se formará en el cuerpo a partir del beta-caroteno.

SIGNOS DE DEFICIENCIA	FUENTES DE ALIMENTOS	SINÉRGICOS	INHIBIDORES DE LA ABSORCIÓN
Visión pobre, piel seca, reproducción y crecimiento deficientes, aumento de susceptibilidad a infecciones.	Hígado, pescado, productos lácteos (como leche y queso). Las verduras amarillas, anaranjadas, rojas y verde oscuro contienen grandes cantidades de beta-caroteno, como los chabacanos secos, camotes, mangos, zanahorias, espinacas, berros.	Zinc, vitamina D.	Colestipol, colestiramina, sales de Epson, algunos antibióticos, alcohol, ingesta de grasas muy baja.
Debilidad muscular y ósea. Raquitismo en niños. Osteomalacia en adultos.	Arenque, macarela, salmón, sardinas enlatadas, atún, camarón, suero de leche, margarina fortificada, yema de huevo, aceite de pescado.	Vitamina A, calcio y fósforo.	Alcohol, algunos antibióticos, olestra, aceite mineral, laxantes, algunos anticonvulsivos.
Poco frecuente. Puede presentarse en bebés prematuros y gente con dietas de muy poca grasa. Ruptura de glóbulos rojos, sanación pobre de heridas.	Aceite de germen de trigo, semillas de girasol, aceite de alazor, aceite de cacahuate, aceite de oliva, almendras, cacahuates, avellanas, huevos, verduras de hoja verde y cereales integrales.	Vitamina C.	Metales, calor, oxígeno, proceso de congelación, ingesta exagerada de vitamina K, sales de Epson, laxantes, senokot.
Coagulación anormal, hemorragias. La deficiencia es rara en adultos y puede presentarse en recién nacidos.	Verduras de hoja verde (brócoli, col rizada, col de Bruselas, coliflor), leche, hígado, avena integral, avena, aceites vegetales.	Vitamina C.	Inestable al calor, congelamiento, warfarina, rayos-x, radiación, contaminación del aire, algunos antibióticos, aceite mineral, laxantes, dosis exageradas de vitamina E.
Visión y audición defectuosas, crecimiento deficiente en infantes, piel seca, sanación defectuosa de heridas.	Pescado con alto contenido de aceite, aceites vegetales prensados en frío, nueces, avellanas, camarones, salmón, frijoles de soya.	Vitamina E.	No aplica.

**alfa-tocoferol es la vitamina E que más prevalece, aparece listada como "tocoferoles mixtos" en las etiquetas de alimentos y complementos.

VITAMINAS

HIDROSOLUBLES

	RNI	FUNCIÓN
VITAMINA B1 TIAMINA	Mujeres de 15+ años: 0.8mg/día. Embarazo: 0.9mg/día. Lactancia: 1.0mg/día. Varones de 19-50 años: 1.0mg/día. De 51+ años 0.9mg/día. Consumir más de 3g/día durante un largo periodo provoca efectos desagradables.	Necesaria para convertir la comida en energía, para el crecimiento en niños y fertilidad en adultos. Mantiene sanos al corazón y sistema nervioso.
VITAMINA B2 RIBOFLA-VINA	Mujeres de 11+ años: 1.1mg/día. Embarazo: 1.4mg/día. Lactancia: 1.6mg/día. Varones de 15+ años: 1.3mg/día.	Ayuda al cuerpo a liberar energía de la comida. Ayuda al crecimiento, necesaria para ojos, cabello, piel y uñas sanos.
VITAMINA B3 NIACINA*	Mujeres de 19-50 años: 13mgNE/día. De 51+ años: 12mgNE/día. No se necesita mayor cantidad durante el embarazo. Lactancia: 15mgNE/día. Varones de 19-50 años: 17mgNE/día. De 51+ años: 16mg/día.	Necesaria para liberar energía de la comida; en el control del azúcar en la sangre; para mantener la piel sana y los sistemas nervioso y digestivo.
VITAMINA B5 ÁCIDO PANTO-TÉNICO	No RNI. La ingesta actual en el Reino Unido de 3-7mg/día se considera adecuada.	Ayuda al cuerpo a liberar energía de la comida; a la formación de anticuerpos y mantiene sanos al sistema nervioso y a la piel.
VITAMINA B6 PIRIDOXINA	Mujeres de 15+ años: 1.2mg/día. No se necesita mayor cantidad durante el embarazo o lactancia. Varones de 19+ años: 1.4mg/día. Las ingestas altas se asocian a la disfunción de los nervios sensoriales.	Esencial para el metabolismo de las proteínas, para la formación de glóbulos rojos, anticuerpos y neurotransmisores (químicos del cerebro).

*Los compuestos relacionados –ácido nicotínico y nicotinamida –también son llamados niacina. Además de la vitamina presente en la comida, uno de los aminoácidos esenciales triptofan es convertido en niacina el cuerpo. La actividad vitamínica total (expresada como equivalente de niacina-NE) es derivada de la vitamina prefabricada más la cantidad creada en el cuerpo a partir del triptofan.

SIGNOS DE DEFICIENCIA	FUENTES DE ALIMENTOS	SINÉRGICOS	INHIBIDORES DE LA ABSORCIÓN
Fatiga muscular, concentración pobre, irritabilidad, depresión, problemas cardiacos. Deficiencia severa: beri-beri	Extracto de levadura, arroz integral, avena, germen de trigo, legumbres, nueces, semillas, carne magra (en especial la de cerdo), productos integrales, cereales fortificados.	Otras vitaminas B, sulfuro.	Se destruye por la cocción, almacenamiento o procesamiento. Sensible al oxígeno, calor, condiciones de poco ácido. Alcohol, drogas de sulfuro, algunos antibióticos, antiácidos, té, café, arándano, col morada, agua.
Sanación deficiente de heridas, ojos hinchados y llorosos, labios y comisuras partidos, piel descamada, sarpullido entre la nariz y los labios, confusión.	Extracto de levadura, leche, queso, yogurt, huevo, carne, despojos (por ejemplo, hígado), verduras de hoja verde, cereales fortificados.	Otras vitaminas B.	Es destruida por el calor y la luz. Pastillas anticonceptivas, alcohol, drogas de sulfuro, algunos tranquilizantes y antidepresivos.
Poco común. Dermatitis, náusea, diarrea, debilidad muscular, depresión, demencia. Deficiencia severa: pelagra – lengua rojiza y brillante, dolores de cabeza.	Extracto de levadura, cerdo, pollo, res, pescado, nueces, queso, leche, huevo, papa, pasta, arroz y cereales fortificados.	Otras vitaminas B, en especial B6, vitamina C.	La B2 es la vitamina B más estable. Drogas de sulfuro, alcohol y procesamiento de alimentos.
Poco común y difícil de diagnosticar. Puede presentarse junto con otras deficiencias de vitamina B.	Levadura seca, hígado, extracto de levadura, riñones, nueces, germen de trigo, harina de soya, arroz integral, huevo, legumbres, pan integral.	Otras vitaminas B.	Exposición al calor. Procesamiento de alimentos, enlatado, cafeína, drogas de sulfuro, antibióticos, alcohol.
Depresión, dolores de cabeza, confusión, insensibilidad y hormigueo en manos y pies, anemia, lesiones en la piel, crecimiento pobre, formación de anticuerpos disminuida (inmunidad).	Levadura seca, extracto de levadura, germen de trigo, salvado de trigo, cereales fortificados, hígado, aguacate, plátano, pescado, carne, nueces.	Vitaminas B1, B2, B5.	Exposición al calor y a la luz. Almacenamiento prolongado, procesamiento de alimentos, carnes rostizadas y guisadas, alcohol, pastillas anticonceptivas, fumar, algunos antibióticos, luz, aire, condiciones alcalinas.

VITAMINAS

HIDROSOLUBLES

	RNI	FUNCIÓN
VITAMINA B12 COBALAMINA	Mujeres y varones de 15+ años: 1.5mcg/día. No se requiere mayor cantidad durante el embarazo. Lactancia: 2.0mcg/día.	Forma y regenera los glóbulos rojos, necesaria para la síntesis del ADN, mantiene sano al sistema nervioso, necesaria para la producción de energía.
FOLATO O ÁCIDO FÓLICO	Mujeres y varones de 11+ años: 200mcg/día. Embarazo: 300mcg/día (ver página 44). Lactancia: 260mcg/día.	Funciona con B12 para proteger y desarrollar el sistema nervioso y la producción de material genético. Producción de glóbulos rojos en bebés dentro del útero. Protege contra defectos de nacimiento.
VITAMINA C ÁCIDO ASCÓRBICO	Mujeres y varones de 15+ años: 40mg/día. Embarazo: 50mg/día. Lactancia: 70mg/día	Producción de colágeno, necesaria para piel, huesos, cartílagos, dientes y vasos sanguíneos sanos. Promueve la sanación, ayuda a la absorción de hierro. Es un antioxidante poderoso.
BIOTINA	No RNI. La ingesta entre 10 y 200mcg/día es considerada adecuada y segura.	Esencial para la producción de energía y para el metabolismo de grasas y proteínas. Necesaria para piel y cabello sanos y para la producción de hormonas sexuales.

OTROS NUTRIENTES HIDROSOLUBLES

	RNI	FUNCIÓN
FLAVONOIDES	No RNI	Antioxidantes poderosos, se cree que reducen el riesgo de enfermedades crónicas como enfermedades coronarias y cáncer.
INOSITOL	No RNI. Se forma en el cuerpo a partir de la glucosa.	Involucrado en la entrega de mensajes al interior de las células. En combinación con colina (ver más adelante) forma lecitina.
COLINA	No RNI. Se forma fácilmente en el cuerpo.	Necesaria para el metabolismo del colesterol y las grasas, producción de neurotransmisores, ayuda a las membranas celulares.

SIGNOS DE DEFICIENCIA	FUENTES DE ALIMENTOS	SINÉRGICOS	INHIBIDORES DE LA ABSORCIÓN
Anemia perniciosa, problemas nerviosos.	Hígado, corazón, riñón, carne, aves, pescado, leche, queso, huevo, cereales fortificados.	Folato.	Exposición al aire, luz y vitamina C, antiácidos, laxantes, pastillas anticonceptivas, alcohol, anticonvulsivos.
Anemia, apatía, depresión, lengua hinchada y dolorosa, crecimiento pobre, problemas en el desarrollo y funcionamiento nervioso.	Levadura seca, hígado, verduras de hoja verde oscura (como brócoli y col), legumbres, nueces, salvado de avena, extracto de levadura.	Otras vitaminas B, en especial B12 y B6 y vitamina C.	Exposición al aire, luz, calor y condiciones ácidas, alcohol, pastillas anticonceptivas, analgésicos (aspirina), algunos antibióticos, anticonvulsivos.
Pérdida de apetito, calambres musculares, piel reseca, cabello débil, encías sangrantes, contusiones, hemorragias nasales, anemia, infecciones, sanación lenta.	Cítricos, grosella, fresa, kiwi, papaya, chile rojo, brócoli, berro, perejil, verduras de hoja verde, pimiento rojo y verde.	Vitamina E, selenio.	Calor, luz, oxígeno, exposición a utensilios de cobre y hierro, bicarbonato de sodio, pastillas anticonceptivas, anticonvulsivos, analgésicos.
No es común. Aletargamiento, náusea, cabello debilitado, pérdida de color en el cabello, piel rojiza, sarpullido, depresión.	Levadura de cerveza, hígado, extracto de levadura, legumbres, nueces, trigo entero, arroz integral, leche, queso, yogurt, huevo.	Otras vitaminas B, sulfuro.	Clara de huevo cruda, procesamiento de la comida, drogas de sulfuro. (El sulfuro y la biotina son sinérgicos pero ayudan a la absorción).
Desconocidos.	Casi todas las frutas y verduras, incluyendo las cítricas (en especial la piel blanca), trigo sarraceno.	Vitamina C.	Agua, calor al cocinar, luz, oxígeno.
Altos niveles de colesterol, desórdenes nerviosos, problemas intestinales.	Germen de trigo, cereales y legumbres, naranja, cacahuate.	Otras vitaminas B, colina.	Procesamiento de la comida, alcohol, café.
Poco común, poco probable en personas sanas. Ocasiona problemas hepáticos.	Huevo, yema de huevo, hígado, riñón, seso, lechuga, verduras de hoja verde, salvado y germen de trigo, legumbres.	Otras vitaminas B, inositol.	Procesamiento de la comida, alcohol.

MINERALES
MACROMINERALES

	RNI	FUNCIÓN
CALCIO	Mujeres y varones de 19+ años: 700mg/día. No se requiere extra durante el embarazo debido al aumento de absorción. Lactancia: 1250mg/día.	Mantiene dientes y huesos fuertes, regula la función nerviosa y muscular, necesario para la coagulación y regular la presión sanguínea y de enzimas.
MAGNESIO	Mujeres de 19+ años: 270mg/día. No se requiere extra durante el embarazo debido al aumento de absorción. Lactancia: 320mg/día. Varones de 15+ años: 300mg/día.	En combinación con fósforo y sodio es necesario para las funciones nerviosa y muscular. Necesario para la energía. Mantiene la estructura ósea, regula el balance de calcio.
FÓSFORO	Mujeres y varones de 19+ años: 550mg/día. No se requiere extra durante el embarazo debido al aumento de absorción. Lactancia: 990mg/día. No exceder 70mg/kg de peso corporal/día.	En combinación con calcio y magnesio mantiene la estructura ósea. Necesario para la producción de energía en las células del cuerpo.
SODIO	Mujeres y varones de 15+ años: 1600mg/día (equivalente a 4g de sal o cloruro de sodio). No se requiere extra durante el embarazo o lactancia. Más de 3.2g/día (cerca de 8g de sal) ocasiona presión sanguínea alta.	Junto con el potasio regula el balance ácido/alcalino y de fluidos en el cuerpo, es responsable de las funciones nerviosa y muscular.
POTASIO	Mujeres y varones de 15+ años: 3500mg/día. No se requiere extra durante el embarazo o lactancia.	Trabaja con el sodio para regular el balance de líquidos del cuerpo, mantiene la presión sanguínea y los impulsos cardiacos y nerviosos.
CLORO	Mujeres y varones de 15+ años: 2500mg/día. No se requiere extra durante el embarazo o lactancia.	Con el sodio y el potasio regula el balance ácido/alcalino y de agua.

SIGNOS DE DEFICIENCIA	FUENTES DE ALIMENTOS	SINÉRGICOS	INHIBIDORES DE LA ABSORCIÓN
Osteoporosis, osteomalacia, espasmos y calambres musculares, raquitismo, presión sanguínea alta, palpitaciones cardiacas, dolor en articulaciones.	Lácteos, pescado enlatado (como sardinas y salmón consumidos con hueso), cereales, semillas de ajonjolí, almendras, verduras de hoja verde, leche de soya fortificada y tofu.	Vitamina D, inositol, fósforo, magnesio.	Alta ingesta de fósforo, sal o proteínas. Alcohol, ácido oxálico (en el chocolate, ruibarbo), fitato (como en el salvado), algunos diuréticos, algunos laxantes, algunos antibióticos, grandes dosis de pastillas del complejo B.
Poco común. Náusea, ansiedad, espasmos musculares, calambres, temblores, cambios en la presión sanguínea y en el ritmo cardiaco.	Nueces, frijoles de soya, levadura de cerveza, pan y pasta integrales, chícharos, mariscos, frutas secas, semillas.	Calcio, vitamina D, fósforo.	Alcohol, calcio, antiácido de carbonato, algunos antibióticos, algunos diuréticos.
Poco común. Debilidad muscular, dolor de huesos, raquitismo, osteoporosis.	Carne, pescado, lácteos, salvado de trigo, calabaza, semillas de girasol, semillas de ajonjolí.	Calcio, magnesio, vitamina D.	Exceso de magnesio y aluminio.
Poco común, puede presentarse con diarrea crónica, vómito, sudoración excesiva.	Sal de mesa, carne curada (como el tocino), pescado ahumado, salsas, aceitunas, comida enlatada en salmuera, alimentos muy procesados, queso, mantequilla, botanas grasosas, agua mineral.	Potasio, cloro.	Algunos diuréticos, medicamentos anti-gota, algunos antibióticos, algunos laxantes.
Poco común, puede presentarse con diarrea crónica, vómito, sudoración excesiva. Confusión, calambres, fatiga, ritmo cardiaco irregular, sed extrema.	Fruta y verdura fresca (como manzana, plátano, zanahoria, papa, brócoli, dátil, naranja), salvado de trigo, leche y yogurt.	Sodio, cloro.	Exceso de sodio, alcohol, algunos diuréticos, algunos laxantes, algunos antibióticos, medicamentos anti-gota.
Poco común.	Sal de mesa, aceituna, salsa de jitomate, tocino, pescado enlatado, queso, cacahuate, alimentos procesados que contienen sal.	Sodio, potasio.	No aplica.

MINERALES
MACROMINERALES

	RNI	FUNCIÓN
SULFURO	No RNI. La mayoría proviene de las proteínas que consumimos.	Esencial para el cabello, piel y uñas sanos. Necesario para la síntesis de proteínas, para drogas desintoxicantes y para proteger a las células del daño por oxidación.

MINERALES
MICROMINERALES

HIERRO	Mujeres de 11-50 años: 14.8mg/día. Mujeres de 50+ años: 8.7mg/día. Varones de 19+ años: 8.7mg/día. No se necesita extra durante el embarazo y lactancia.	Transporte de oxígeno y almacenamiento en músculos, mejora la inmunidad, necesario para el crecimiento, producción de energía, metabolismo de medicamentos y funcionamiento mental adecuado.
ZINC	Mujeres de 15+ años: 7mg/día. No se necesita extra durante el embarazo. Lactancia: de 0-4 meses 13mg/día; 4+ meses 9.5mg/día. Varones de 15+ años: 9.5mg/día. La ingesta aguda de 2m de zinc provoca náusea. El consumo regular de más de 50mg/día interfiere con el metabolismo del cobre.	Mejora la inmunidad, sanación. Necesario para ojos, uñas y piel sanos, para crecimiento y desarrollo sexual, para la actividad de enzimas, para la síntesis de ADN y proteínas y para la actividad de vitaminas A y D.
COBRE 	Mujeres y varones de 19+ años: 1.2mg/día. No se necesita extra durante el embarazo. Lactancia: 1.5mg/día. La ingesta alta es dañina. En algunos países, niveles de 1.6mg por litro de agua potable se asocian con efectos tóxicos.	Necesario para el metabolismo de hierro y grasas, para la síntesis del tejido conectivo, mantenimiento del músculo cardiaco, funcionamiento de los sistemas nervioso e inmunológico, mantiene las membranas de las células sanguíneas.

SIGNOS DE DEFICIENCIA	FUENTES DE ALIMENTOS	SINÉRGICOS	INHIBIDORES DE LA ABSORCIÓN
Poco común. Sólo sucede cuando la dieta es muy baja en proteínas.	Huevo, carne, pollo, pescado, mariscos, riñón, hígado, espinaca, nueces, pan, queso, frutas secas.	Tiamina, biotina.	No aplica.
Anemia, desempeño físico y mental reducido, fatiga, circulación deficiente, depresión, menor resistencia a enfermedades e infecciones.	Carne roja, hígado, almeja, mejillón, ostión, pollo, pescado, huevo, espinaca y otras verduras de hoja verde, chabacanos secos, cocoa en polvo, cereales fortificados, pan integral.	Vitamina C.	Fitato (semillas, nueces, granos), té/café en grandes cantidades, complementos de calcio, analgésicos (aspirina), narcóticos (codeína, morfina). Algunos antiácidos, algunos antibióticos y drogas anti-gota.
Puntos blancos en uñas, pérdida de apetito, crecimiento y sanación deficientes, ceguera nocturna, pubertad tardía, piel seca y descamada, caspa, mayor susceptibilidad a infecciones.	Ostión, cangrejo, otros mariscos, carne roja, pescado, hígado, riñón, lácteos, algunas verduras de hoja verde, huevo, nueces y germen de trigo.	Vitamina A, vitamina D, cobre.	Alcohol, algunos diuréticos, algunos medicamentos, pastillas anticonceptivas, terapia de reposición de hormonas, fitato (semillas, nueces, granos), grandes cantidades de té, café, dieta alta en hierro, complementos de hierro.
No es común. Anemia, menor inmunidad, debilidad ósea y en vasos sanguíneos, daño en glóbulos rojos, artritis, crecimiento deficiente, degeneración del músculo cardiaco y sistema nervioso.	Mariscos (ostión, almeja, cangrejo), despojos (como hígado), nueces y semillas, productos integrales, ciruelas pasa, productos de soya.	Zinc, hierro.	Dieta con alto contenido de zinc, complementos de zinc. Alta ingesta de hierro. (Cobre, zinc y hierro son sinérgicos pero participan en la absorción). Alta ingesta de manganeso, molibdeno, vitamina C y antiácidos.

MINERALES

MICROMINERALES | RNI | FUNCIÓN

MANGA-NESO

RNI: Ingesta sana: adultos más de 1.4mg/día.

FUNCIÓN: Funciona junto con zinc y cobre en un compuesto antioxidante importante. Colabora en el metabolismo de carbohidratos y grasas y en la función cerebral.

YODO

RNI: Mujeres y varones de 15+ años: 140mcg/día. No se requiere extra durante el embarazo o lactancia. No exceder 17mcg/kg/día (ó 1000mc/día). La dosis excesivamente alta ocasiona hipertiroidismo.

FUNCIÓN: Componente esencial de la hormona tiroides que regula el metabolismo, crecimiento y desarrollo y promueve la síntesis de proteínas.

CROMO

RNI: Ingesta sana: adultos más de 25mcg/día.

FUNCIÓN: Necesario para que la insulina funcione de manera normal y para que la glucosa entre a las células. Participa en el metabolismo de grasas y proteínas.

MOLIBDENO

RNI: Ingesta sana: adultos 50-400mcg/día.

FUNCIÓN: Necesario para las enzimas que participan en producir productos de desecho antes de que sean excretados (desintoxicación) en la oxidación y desintoxicación de muchos otros componentes.

FLORURO

RNI: No RNI o ingesta sana para adultos.

FUNCIÓN: Previene la caída y decoloración de los dientes, fortalece los huesos.

SELENIO

RNI: Mujeres de 15+ años: 60mcg/día. No se necesita extra durante el embarazo. Lactancia: 75mcg/día. Varones 19+ años: 75mcg/día.

FUNCIÓN: Funciona con vitamina E en una enzima antioxidante. Necesario para la síntesis de la hormona tiroides.

SIGNOS DE DEFICIENCIA	FUENTES DE ALIMENTOS	SINÉRGICOS	INHIBIDORES DE LA ABSORCIÓN
Poco común. Crecimiento retardado, anormalidades óseas, problemas en funciones cerebrales y reproductivas, problemas en el metabolismo de grasas y carbohidratos.	Nueces, semillas de ajonjolí, germen de trigo, salvado de trigo, salvado de avena, legumbres, mora, espinaca.	Cobre, zinc.	No aplica.
Bocio (dilatación de la tiroides, hinchazón en el cuello), descenso de la velocidad metabólica, ojos saltones, fatiga, retardo mental, pérdida de cabello, reflejos lentos, piel seca.	Sal yodatada, mariscos (como cangrejo, abadejo, ostión, salmón, sardina), productos lácteos, huevo, alga marina.	Selenio.	Sustancias goitrogen presentes en la comida (nabo, col, col de Bruselas).
Alta glucosa de la sangre e insulina. Altos niveles de colesterol de la sangre y niveles triglicéridos	Yema de huevo, carne roja, hígado, lácteos, granos enteros, nueces, papa, ostión, cangrejo, pan de centeno, vino, chile, espinaca, naranja, cáscara de manzana, pan integral.		No aplica.
Poco común. Sólo se ha encontrado en pacientes hospitalizados con deficiencia alimenticia. Crecimiento deficiente, apetito reducido.	Granos, legumbres, lácteos, espinaca, coliflor, chícharo, elote, riñón, hígado.		No aplica.
Incremento en el deterioro dental, en particular hasta los 13 años.	Agua fluoridada, té, pescado consumido con huesos, leche, queso cheddar. Pasta de dientes fluoridada.	Calcio.	Utensilios de aluminio.
Encontrado en áreas con bajos niveles de selenio en la tierra. Dolores y debilidad muscular. Forma de enfermedad coronaria llamada enfermedad de Keshan.	Marisco, hígado, riñón, huevo, carne, granos enteros, nueces de Brasil, germen de trigo, pan integral.	Vitamina E, yodo.	No aplica.

vitaminas
y otros
nutrientes

VITAMINAS-LIPOSOLUBLES

VITAMINA A

REFERENCIA DE INGESTA DE NUTRIENTES
Varones: 700mcg RE*/día. Mujeres:
600mcgRE/día.
(*RE, ver página 8).

FUENTES DE ALIMENTOS	mcgRE por c/100g
Hígado de ternera, frito	25200
Hígado de cordero, frito	19700
Hígado de pollo, frito	10500
Paté, hígado	7400
Zanahorias, crudas	1353
Zanahorias, hervidas	1260
Pasta para untar, baja en grasa	1084
Margarina	905
Mantequilla	887
Camote, horneado	855
Chile rojo	685
Perejil	673
Doble crema	654
Pimiento rojo	640
Espinaca, hervida	640
Calabaza butternut, horneada	548
Queso crema	422
Berro	420
Verduras mixtas pre-congeladas, hervidas	420
Queso duro	373
Jitomate, asados	307
Mango	300
Huevo de gallina, entero, cocido o crudo	190
Papaya	165
Melón	165
Yogurt griego	121
Jitomate	107
Chabacano, seco	105
Brócoli, hervido	80
Leche entera	56

La vitamina A es esencial para la visión, de ahí la creencia de que las zanahorias son buenas para la vista. El requerimiento de vitamina A aumenta si fuerzas mucho los ojos al ver televisión, trabajas con poca luz o ves la pantalla de la computadora todo el día.

RECETA: Combina rebanadas de mango fresco, trozos de melón, un poco de jengibre rallado, chabacanos secos picados, avellana y ramitas de menta. Báñalo con un poco de jugo de limón y espolvorea canela. Es una excelente forma de comenzar el día con vitamina A.

RECETA: Marina hígados de pollo en una marinada teriyaki estilo japonés y encájalos en brochetas para asarlos.

Un vaso de jugo de zanahoria y jengibre es una fuente excelente de carotenoides para quienes desayunan deprisa.

La VITAMINA A es hidrosoluble y existe en dos formas:

VITAMINA A PREFABRICADA (retinoides) que obtenemos de alimentos de origen animal como el hígado y los lácteos.

PROVITAMINA A (beta-caroteno y otros carotenoides) que en el cuerpo es convertida en vitamina A activa, proviene de frutas rojas y amarillas y de verduras como zanahorias (de las cuales obtuvo su nombre).

La vitamina A es esencial para la buena vista, ayuda en el crecimiento y reparación de tejidos del cuerpo, ayuda a mantener suavidad en la piel y el cabello. El beta-caroteno es un poderoso antioxidante.

Aproximadamente un tercio del caroteno de la comida es convertido en vitamina A. Con la luz, la cocción, al hacer puré o machacar se rompe la membrana celular y el caroteno es más fácil de absorber.

PRECAUCIÓN. La vitamina A puede alcanzar niveles tóxicos. Los varones no deben exceder los 9000mcgRE/día y las mujeres los 7500mcgRE/día. Las embarazadas y personas que toman preparaciones de vitamina A de amplio espectro para el acné deben evitar los complementos de vitamina A (incluyendo complementos de aceite de pescado ricos en vitamina A). La comida es la mejor fuente de vitamina A puesto que altas dosis de complementos que contengan de 4 a 10 veces la RNI pueden ocasionar defectos de nacimiento y problemas de salud.

VITAMINAS-LIPOSOLUBLES

VITAMINA D

REFERENCIA DE INGESTA DE NUTRIENTES

No RNI porque la vitamina D puede formarse en la piel a excepción de varones y mujeres de 65+ años: 10mgc/día. Durante embarazo y lactancia: 10mcg/día.

La gente con piel morena necesita menos vitamina D que las personas con piel más clara. Los filtros solares con factor 8 o mayor prohíben la síntesis de la vitamina D, pero la mayoría de las personas se exponen a la luz del sol lo suficiente como para compensar. Fumar, la contaminación, las ventanas de vidrio y la ropa bloquean la luz del sol y reducen la síntesis de vitamina D.

FUENTES DE ALIMENTOS	mcg por c/10mcg
Aceite de hígado de bacalao	210
Arenque, cocido	25
Salmón, rojo, enlatado en salmuera	23
Arenque, asado	16.1
Sardina europea, enlatada en salsa de jitomate	14
Sardina, asada	12.3
Trucha, asada	11
Salmón, asado	9.6
Macarela ahumada	8
Pastas bajas en grasa para untar y margarinas	8
Macarela, asada	5.4
Yema de huevo	4.9
Sardinas enlatadas en salmuera	4.6
Atún enlatado en salmuera	4.0
Leche evaporada	4.0
Cereales fortificados	2.7
Huevo revuelto con leche	1.9
Huevo, entero	1.8
Mantequilla	0.8
Res, cordero, cerdo, pollo	0.3-0.8
Queso cheddar	0.3
Yogurt de leche entera	0.04
Leche entera	0.03
Pescado blanco	mínimo
Crustáceos, moluscos	mínimo

La dieta no se basa en vitamina D porque la mayoría creamos suficiente en el cuerpo después de la exposición al sol. No obstante comer sardinas es una manera deliciosa de incorporar pequeñas cantidades de esta vitamina y otros nutrientes esenciales a la dieta.

RECETA: Prepárate un delicioso omelette con dos huevos, un chorro de leche y salmón enlatado, cebollín picado y queso cheddar rallado. Sírvelo con rebanadas de pan con semillas de girasol.

Los niños necesitan más vitamina D que los adultos. Sin ella, sus dientes y huesos no se desarrollan y se fortalecen. Recibir suficiente luz del sol y consumir muchos lácteos de manera regular ayuda a mantener los huesos fuertes.

La leche entera de vaca contiene vitamina D y la leche descremada contiene cantidades mínimas. La leche fortificada contiene vitamina D.

La VITAMINA D es liposoluble. Se conoce como la vitamina del sol porque se forma en la piel cuando es expuesta a la luz ultravioleta. En el verano, dos horas de sol a la semana son suficientes para mantener niveles adecuados. Una vez creada se almacena en el cuerpo para aprovecharla durante el invierno, de manera que la mayoría de la gente no la necesita en la dieta. Es necesaria para la absorción de calcio y fósforo y para dientes y huesos sanos.

DEFICIENCIA: Las personas que no obtienen suficiente sol o vitamina D sufren el riesgo de contraer osteomalacia –condición que ocasiona que los huesos se ablanden y se rompan con facilidad. Para mayor información ver página 62. En niños, la deficiencia prolongada se traduce en raquitismo, un desorden óseo caracterizado por huesos blandos, piernas arqueadas y curvatura espinal. Los complementos de vitamina D son buenos para personas en riesgo de osteomalacia.

TOXICIDAD: Demasiada vitamina D de alimentos fortificados y complementos (más de 50mcg al día) puede ser tóxica. Entre los efectos están ojos hinchados, comezón en la piel, vómito, daño renal y cardiaco.

VITAMINAS-LIPOSOLUBLES

VITAMINA E

INGESTA SANA:
Varones: sobre 4mg/día.
Mujeres: sobre 3mg/día.

FUENTES DE ALIMENTOS

	mg por c/100g
Aceite de germen de trigo	137
Aceite de girasol	49.2
Aceite de alazor	40.7
Semillas de girasol	37.8
Aceite de palmera	33.1
Margarina poli no-saturada	32.6
Avellana	25
Almendra	24
Jitomates deshidratados	24
Aceite de colza	22.2
Germen de trigo	22
Mayonesa	19
Aceite de soya	16.1
Aceite de cacahuate	15.2
Piñones	13.6
Crema para ensaladas	10.6
Cacahuates	10.1
Nueces de Brasil	7.2
Pasta baja en grasa para untar	6.3
Mantequilla de cacahuate	5
Mix Bombay	4.7
Jitomates, asados	4
Nueces de nogal	3.8
Salsa pesto	3.8
Aguacate	3.2
Semillas de ajonjolí	2.5
Mantequilla	2.0
Espinaca	1.7
Salmón rosa, enlatado en salmuera	1.5
Huevo crudo, hervido o pochado	1.1
Brócoli, hervido	1.1
Queso parmesano	0.7

Rebanadas gruesas de pan integral con mantequilla de cacahuate son un almuerzo excelente que ayuda a tu ingesta de vitamina E.

La crema de vitamina E se absorbe a través de la piel y ayuda a sanar heridas.

La vitamina E se destruye por el calor y la exposición a la luz. Aunque es relativamente estable a temperaturas normales de cocción, las altas temperaturas usadas para freír y calentar repetidamente el aceite tienden a destruir casi toda la vitamina E. La mejor manera de obtenerla es por medio de los aceites de aderezos para ensaladas.

La VITAMINA E es liposoluble y un antioxidante poderoso que neutraliza los componentes radicales libres antes de que dañen las membranas celulares. Nos protege del daño ocasionado por la contaminación y los metales. Es esencial para la sanación, prevención de cicatrices y glóbulos rojos y nervios sanos.
La deficiencia es poco común puesto que se encuentra en muchos alimentos.

Existen ocho formas naturales de vitamina E, la más común es alfa-tocoferol. Incluye en tu dieta muchas de las fuentes como nueces, aceites de plantas y germen de trigo.

RECETA: Prepara pasta y combínala con pesto hecho de arúgula fresca, almendras, queso parmesano rallado y aceite.

VITAMINAS-LIPOSOLUBLES

VITAMINA K

INGESTA SANA:
Adultos: 1mcg por kg de peso/día.

FUENTES DE ALIMENTOS	mcg por c/100g*
Espinaca	240
Lechuga	200
Frijoles de soya	190
Coliflor	150
Col	100
Brócoli	100
Avena de trigo	80
Germen de trigo	37
Ejotes	22
Espárrago	21
Avena	20
Papa	20
Chícharo	19
Fresa	13
Cerdo	11
Res, molida	7
Leche entera	5
Leche descremada	4

Para conservar las vitaminas de las verduras, no las cuezas mucho tiempo, sólo hasta que estén suaves. Para prevenir la deficiencia de vitamina K come muchas de las verduras listadas.

La vitamina K es conocida porque ayuda a la coagulación de la sangre para detener hemorragias. Debido a ello, a veces se le llama vitamina curita.

*Valores australianos.

Consumir bio yogurt (que contiene la bacteria acidofilus) te ayuda a mantener los niveles de bacteria intestinal y así asegura la formación de vitamina K en tu cuerpo. Lo anterior es útil si estás bajo tratamiento con antibióticos, algunos de los cuales inhiben la absorción de la vitamina.

RECETA: Stir fry de filetes de cerdo rebanados con brócoli, champiñones rebanados, chícharos enteros, alubias rebanadas, espinaca picada con un poco de salsa de soya y miel.

La VITAMINA K es liposoluble, está presente en varios alimentos y en el cuerpo se forma por las bacterias del tracto intestinal. A los bebés les inyectan vitamina K al nacer porque sus intestinos no tienen bacterias y la leche materna no contiene mucha vitamina. La vitamina K ayuda a la coagulación sanguínea, es necesaria para mineralizar los huesos y para la función renal.

El desayuno es un buen momento para ingerir vitamina K con avena, germen de trigo, avena de trigo y leche.

DEFICIENCIA: Es poco común en personas sanas pero puede presentarse por el uso prolongado de antibióticos. Los recién nacidos corren riesgo, como se explica en el párrafo anterior, y se les da una inyección de vitamina K. Los signos de deficiencia son susceptibilidad a contusiones y hemorragia sin control después de lastimaduras o cirugías.

TOXICIDAD: Es difícil obtener mucha vitamina K de los alimentos, pero los complementos pueden ser peligrosos en especial si se toman medicamentos anticoagulantes. Dosis altas ocasionan sudoración y enrojecimiento.

ÁCIDOS GRASOS ESENCIALES

No RNI. Se sugiere aproximadamente 1% de la ingesta total de energía.

FUENTES DE ÁCIDOS GRASOS OMEGA-3

Anchoas, enlatadas, frescas

Aceite de cánola

Aceite de hígado de bacalao

Yema de huevo (de gallina y pato)

Aceite de linaza

Avellana

Macarela, enlatada, fresca

Ostión

Nueces pecanas

Camarones

Salmón (rosa y rojo), enlatado, fresco

Sardinas, enlatadas, frescas

Aceite de frijol de soya

Anguila

Aceite de girasol

Atún, fresco

Verduras de hoja verde

Nueces de nogal

FUENTES DE ÁCIDOS GRASOS OMEGA-6

Aceite de cánola

Aceite de maíz

Pastas de lácteos para untar y aceites

Aceite de prímula

Aceite de linaza

Nueces

Aceite de oliva

Aceite de alazor

Frijoles de soya

Aceite de girasol

Si se consumen suficientes ácidos grasos omega-3, otros ácidos grasos importantes pueden ser sintetizados en el cuerpo. El pescado con alto contenido de aceite con carne oscura, como macarela, atún, salmón y sardinas, es la fuente más concentrada de ácidos grasos omega-3. Consume dos o más porciones de pescado a la semana, una de las cuales debe ser con alto contenido de aceite.

Igual que otras grasas poli no-saturadas, los ácidos grasos esenciales ayudan a controlar el nivel de colesterol de la sangre y a reducir el riesgo de enfermedades coronarias cuando se consumen en lugar de grasas saturadas en una dieta sin grasas.

RECETA: Haz mantequilla de nuez y limón y refrigérala en un molde cilíndrico. Prepara brochetas con atún y salmón en cubos, hojas de laurel y rodajas de limón. Cuando estén calientes ponles rebanadas de la mantequilla.

Los ácidos grasos esenciales deben provenir de la dieta. Si no te gusta el pescado, entonces consume nueces, frijoles de soya y tahini. Puedes preparar hummus con frijol de soya enlatado.

Los ÁCIDOS GRASOS ESENCIALES son ácidos grasos que no se forman en el cuerpo y deben consumirse en la dieta. Los ácidos linoleico (omega-6) y alfa linoleico (omega-3) son ácidos grasos esenciales importantes para el crecimiento, piel sana y el funcionamiento adecuado de ojos y nervios. Ambos ácidos son usados en el cuerpo para formar otros tipos de ácidos grasos.

Los aceites vegetales prensados en frío, en especial el de girasol, maíz, frijol de soya, ajonjolí y alazor, son ricos en ácidos grasos omega-3 y omega-6. Un equilibrio entre omega-3 y omega-6 es esencial y se obtiene al mezclar aceite de semilla de linaza con los anteriores. El aceite de cánola tiene la mayor cantidad de ácidos grasos omega-3 y omega-6, el aceite de soya y de nuez contienen una mezcla de ambos.

DEFICIENCIA: Si no se consumen en cantidades suficientes se presenta una deficiencia. Los síntomas son piel seca, mala sanación de heridas, problemas hepáticos, crecimiento deficiente en infantes y visión y audición deficientes.

PROTECCIÓN: Aunque los ácidos grasos omega-3 no afectan los niveles de colesterol en la sangre reducen la tendencia a coagular y así reducen el riesgo de enfermedades coronarias.

VITAMINAS-HIDROSOLUBLES

VITAMINA B1 (TIAMINA)

REFERENCIA DE INGESTA DE NUTRIENTES
Mujeres: 0.8mg/día (Embarazo: 0.9mg/día.
Lactancia: 1.0mg/día). Varones de 19-50 años:
1.0mg/día. Varones de 51+ años: 0.9mg/día.

FUENTES DE ALIMENTOS	mg por c/100g
Micoproteína Quorn	37
Extracto de carne	9.7
Extracto de levadura	4.1
Germen de trigo	2
Cereales fortificados	1.03-1.8
Semillas de girasol	1.6
Filete de cerdo, magro, asado	1.6
Tiras de jamón, asado	1.2
Tocino, asado	1.2
Cacahuates	1.1
Leche malteada en polvo	1.0
Tahini	0.9
Salvado de trigo	0.9
Semillas de ajonjolí	0.9
Jamón magro	0.8
Harina de soya	0.8
Chícharos, hervidos	0.7
Piñones	0.7
Pistaches, asados y salados	0.7
Nueces de la India	0.7
Hígado de pollo y ternera, frito	0.6
Germen de trigo	0.5
Riñón de cordero	0.3
Pan integral	0.3
Pasta integral, hervida	0.2
Frijoles, enlatados	0.2
Lentejas rojas, hervidas	0.2
Arroz integral, hervido	0.1
Frijoles de soya, hervidos	0.1

RECETA: Stir fry de tiras de filete de cerdo con hojas chinas, cacahuates rostizados y frijoles de soya con un poco de aceite de cacahuate. Agrega salsa de soya o de ostión. Sirve con timbales de arroz integral o salvaje.

La absorción de la tiamina es elevada en presencia de anilina, sustancia presente en los ajos y las cebollas.

La tiamina está presente en pequeñas cantidades en la mayoría de los alimentos pero el cerdo y los despojos tienen mayores cantidades.

Muchas nueces, así como las semillas de girasol, añaden tiamina a tu dieta. Los alimentos que contienen dióxido de azufre, como el vino y las frutas secas, y sulfito, usado en la elaboración de salsas y tocino, inhiben la absorción de la tiamina.

La VITAMINA B1 (TIAMINA) es hidrosoluble. Es esencial para el sistema nervioso y la síntesis del ADN. Junto con otras vitaminas B es necesaria para producir energía a partir de los carbohidratos, proteínas y grasas. También es necesaria para el crecimiento en la infancia y fertilidad en adultos.

RECETA: Para desayunar, en un vaso pon capas de yogurt, fruta fresca, muesli, salvado de avena, germen de trigo y semillas de girasol y de ajonjolí.

La tiamina se encuentra en el germen y salvado de trigo y en la cáscara del arroz, de manera que el consumo de pan integral proporciona tiamina.

DEFICIENCIA: Es poco común pero puede presentarse en alcohólicos crónicos. La deficiencia extrema se traduce en beri-beri. Entre los síntomas tempranos de deficiencia están náusea, fatiga muscular, calambres, depresión, irritabilidad y mala coordinación. Los complementos con dosis relativamente altas de tiamina (50mg) están marcados como liberadores de estrés y energizantes, pero a menos que exista una deficiencia, no ayudan a aliviar el estrés o el cansancio. La absorción de la tiamina es inhibida por una enzima (tiaminasa) presente en el pescado y mariscos crudos. Los niveles de tiamina disminuyen durante la preparación de los alimentos, cocción o almacenamiento porque es sensible al calor y al oxígeno.

VITAMINAS-HIDROSOLUBLES

VITAMINA B2 (RIBOFLAVINA)

REFERENCIA DE INGESTA DE NUTRIENTES
Mujeres: 1.1mg/día. (Embarazo: 1.4mg/día.
Lactancia: 1.6mg/día). Varones: 1.3mg/día.

FUENTES DE ALIMENTOS	mg por c/100g
Extracto de levadura	11.9
Extracto de carne	8.5
Hígado de ternera, frito	5.7
Riñón de cerdo, frito	3.7
Hígado de pollo, frito	2.7
Cereales fortificados	1.0-2.2
Leche malteada en polvo	1.3
Paté, hígado	1.2
Almendras	0.8
Germen de trigo	0.8
Queso de cabra	0.6
Muesli, estilo suizo	0.7
Queso duro	0.4-0.5
Yema de huevo	0.5
Ganso o pato, rostizado	0.5
Macarela ahumada	0.5
Salsa para pasta con jitomate	0.5
Chocolate, leche	0.5
Tempeh	0.5
Queso brie	0.4
Queso stilton	0.4
Leche evaporada	0.4
Fromage frais, simple	0.4
Avena de trigo	0.4
Huevo, hervido	0.4
Champiñones, crudos	0.3
Sardinas o sardinas europeas, enlatadas en salsa de jitomate	0.3
Pierna de jamón	0.2
Arvejas, hervidas	0.06
Col rizada, hervida	0.06
Espinaca, hervida	0.05

La mejor fuente de riboflavina son los despojos pero pescados como la macarela también es buena fuente.

Las almendras son fuente de riboflavina. Son una botana sencilla y se añaden al muesli, ensaladas y guisados.

Aumenta tu ingesta de riboflavina por las mañanas. Un desayuno con muesli, un huevo duro y pan tostado de extracto de levadura es ideal.

Muchos tipos de queso contienen cantidades moderadas de riboflavina.

Mantén altos los niveles de riboflavina al consumir alimentos que la contengan. Una manera sencilla de añadir un poco de riboflavina a tu dieta es hacer sopa de arvejas con pierna de jamón para darle sabor. La riboflavina forma parte de las enzimas que participan en el metabolismo de la energía así que es posible que necesites más cuando consumes mucha energía.

RECETA: Haz frittatas de champiñones pequeños. Bate tres huevos, una cantidad generosa de leche y perejil de hoja lisa picado y queso parmesano rallado. Fríe en mantequilla champiñones rebanados y cebollines y mézclalos con los huevos. Hornea en charolas para muffins

La VITAMINA B2 (RIBOFLAVINA) es hidrosoluble y esencial para producir energía de los carbohidratos, proteínas y grasas. Es necesaria para tener piel, cabello y uñas sanos y para la buena visión. Ayuda a convertir otras vitaminas (K, B3, B6 y folato) en sus formas activas en el cuerpo. A diferencia de muchas vitaminas, la riboflavina es estable ante el calor y el ácido, pero es destruida por ambientes alcalinos y la luz.

DEFICIENCIA: Sucede junto con deficiencias de otras vitaminas B. Los síntomas de deficiencia son obvios y los más comunes son cuarteaduras en las comisuras de los labios, lengua rojiza e hinchada, sensación de ojos arenosos o llorosos. También problemas en la piel, en especial piel descamada con dermatitis alrededor de la nariz y orejas. Igual que con la tiamina, los complementos de riboflavina se usan para aumentar la energía pero no producen beneficios a menos que sea caso de deficiencia severa. Mejorar tu dieta te da más beneficios de salud.

VITAMINAS-HIDROSOLUBLES

VITAMINA B3 (NIACINA)

REFERENCIA DE INGESTA DE NUTRIENTES
Mujeres de 19-50 años: 13mgNE*/día.
Mujeres de 51+ años: 12mgNE/día.
(Lactancia: 15mgNE/día). Varones de 19-50
años: 17mgNE/día. Varones de 51+ años:
16mgNE/día. (*NE ver página 10).

FUENTES DE ALIMENTOS	mg por c/100g
Extracto de levadura	73
Salvado de trigo	32.6
Hígado de cordero, frito	24.8
Atún, enlatado en aceite	21.1
Cereales fortificados	10-21
Pavo, carne baja en grasa, asado	19.7
Mantequilla de cacahuate	19
Hígado de ternera, frito	19.4
Cacahuates	19.3
Pollo, carne baja en grasa, asado	18.1
Leche malteada en polvo	17.4
Hígado de pollo, frito	17.3
Nueces, mixtas	14.8
Macarela ahumada	13
Filete magro de res, asado	12.9
Salmón, a la parrilla	12.2
Tocino, a la parrilla	11
Semillas de ajonjolí	10.4
Salmón rosa, enlatado en salmuera	10.3
Tahini	9.2
Semillas de girasol	9.1
Anchoas, enlatadas en aceite	8.5
Trucha, a la parrilla	8.2
Almendras	6.5
Nueces de la India, rostizadas, saladas	6.5
Queso cheddar	6.1
Pan integral	5.9
Huevo, cocido o crudo	3.8
Pasta integral, hervida	2.3
Arroz integral, hervido	1.9
Papas, cocidas	1.1
Leche entera	0.8

Comer alimentos como pollo, pescado y nueces, que contienen triptofan, asegura los niveles de niacina porque el triptofan se convierte en niacina en el cuerpo.

El atún, salmón, halibut, macarela y pez espada son ricos en niacina.

RECETA: Desmenuza pechugas de pollo pochadas y combínalas en un tazón para ensalada con cacahuates, cilantro fresco y espinacas baby. Báñalas con aderezo de salsa de chile dulce, salsa de pescado, azúcar, jugo de limón y aceite de ajonjolí.

Las nueces son una botana nutritiva o para acompañar la comida, aseguran la ingesta de niacina.

La VITAMINA B3 (NIACINA) es una vitamina hidrosoluble muy estable y no es afectada por la luz, calor, ácido, alcalinidad o aire. Se crea en el cuerpo a través de la conversión del aminoácido triptofan. La niacina es importante para producir energía a través de carbohidratos, proteínas y grasas. Es necesaria para una piel, lengua y tejidos digestivos sanos, así como para funcionamiento mental sano.

La carne blanca magra de pavo, pollo y ternera es más rica en niacina que los cortes más grasosos.

DEFICIENCIA: La deficiencia severa provoca pelagra. Es poco común en países occidentales pero se presenta en países donde hay escasez de alimentos y dietas bajas en proteínas. La falta de niacina provoca problemas leves en la piel, debilidad, fatiga general y pérdida de apetito.

TOXICIDAD: Asegúrate de adquirir complementos de la forma nicotinamida. La niacina en forma de ácido nicotínico sólo debe tomarse bajo supervisión médica. Se prescribe para disminuir el colesterol y los niveles de triglicéridos, los efectos secundarios del ácido nicotínico son relajamiento de los vasos sanguíneos, lo cual provoca enrojecimiento de la piel, sarpullido, niveles altos de azúcar en la sangre, comezón y desmayo.

VITAMINAS-HIDROSOLUBLES

VITAMINA B5 (ÁCIDO PANTOTÉNICO)

No RNI. La ingesta entre 3-7mg/día se considera adecuada.

FUENTES DE ALIMENTOS	mg por c/100g
Levadura seca	11
Hígado de cordero, frito	8.0
Habas, enlatadas	6.7
Hígado de pollo, frito	5.9
Yema de huevo, cruda	4.6
Riñón de cordero, frito	4.6
Hígado de ternera, frito	4.1
Filete de cerdo, magro, a la parrilla	2.2
Cacahuates	2.7
Salvado de trigo	2.4
Semillas de ajonjolí	2.1
Champiñones, crudos	2.0
Salmón, al vapor	1.8
Nueces pecanas	1.7
Mantequilla de cacahuate	1.7
Harina de soya	1.6
Trucha ahumada, a la parrilla, sin piel	1.6
Pechuga de pollo, sin piel, asada	1.6
Nueces de nogal	1.6
Avellanas	1.5
Pato, asado	1.5
Huevo, hervido o pochado	1.3
Aguacate	1.1
Nueces de la India	1.1
Jamón, magro	1.0
Langosta, hervida	1.0
Dátiles secos	0.8
Chabacanos secos	0.7
Pan integral	0.6
Queso danés, azul	0.5
Yogurt entero	0.5

RECETA: Rebanadas gruesas de pan tostado integral con extracto de levadura y huevo frito o pochado.

El ácido pantoténico es particularmente abundante en productos animales como carne, despojos, lácteos y huevo. Los alimentos que contienen moho, como los quesos y yogurts madurados con moho, y las levaduras son ricos en vitamina B5.

Todos los champiñones contienen una cantidad generosa de vitamina B5, la cual se reduce al freírlos, de manera que es mejor comerlos crudos.

Consumir una variedad de nueces y semillas es una manera fácil de aumentar la ingesta de vitamina B5.

RECETA: Cascos de champiñones bañados con mantequilla de perejil derretida y queso azul desmenuzado y espolvoreados con semillas de ajonjolí y asados a la parrilla.

La VITAMINA B5 (ÁCIDO PANTOTÉNICO) es hidrosoluble y necesaria para reacciones involucradas en el metabolismo de las proteínas, grasas y carbohidratos. Es necesaria para la síntesis de ácidos grasos, colesterol y la hormona esteroide. Se encuentra en muchos alimentos de manera que la deficiencia es poco común pero puede encontrarse junto con la deficiencia de otras vitaminas B resultado de alcoholismo crónico o malnutrición.

La vitamina B5 es disminuida con el procesamiento y cuando los alimentos son cocidos con ácidos (vinagres, cítricos) y alcalinos (bicarbonato de sodio). Los métodos de cocción de calor seco (freír, asar) son más dañinos para la vitamina que los métodos de calor húmedo como guisar y pochar.

VITAMINAS-HIDROSOLUBLES

VITAMINA B6 (PIRIDOXINA)

REFERENCIA DE INGESTA DE NUTRIENTES
Mujeres: 1.2mg/día. Varones: 1.4mg/día.

FUENTES DE ALIMENTOS	mg por c/100g
Germen de trigo	3.3
Cereales fortificados	0.6-2.7
Levadura seca	2.0
Tempeh	1.9
Extracto de levadura	1.6
Muesli, estilo suizo	1.6
Salvado de trigo	1.4
Hígado de ternera, frito	0.9
Salmón, al vapor o a la parrilla	0.83
Hojuelas de papa	0.8
Semillas de ajonjolí	0.8
Filete de cerdo, magro, a la parrilla	0.7
Nueces de nogal	0.7
Filete de res, magro, asado	0.61
Pechuga de pollo, a la parrilla, sin piel	0.6
Avellanas	0.6
Cacahuates	0.6
Hígado de pollo, frito	0.55
Atún, enlatado	0.5
Macarela ahumada	0.5
Trucha roja, frita	0.5
Riñón de cordero, frito	0.48
Harina de soya	0.46
Abadejo, a la parrilla	0.4
Halibut, pochado	0.4
Ajo	0.38
Aguacate	0.36
Plátano	0.29
Pan integral	0.12

La vitamina B6 se encuentra en muchos alimentos animales y vegetales, se añade a los cereales fortificados. Aumenta tu energía al consumir plátanos como parte de tu dieta diaria.

El pescado con alto contenido de aceite es rico en vitamina B6. Un platillo con atún, salmón o macarela te proporciona casi todo el requerimiento diario de esta vitamina.

Las nueces sin sal son una rica manera de obtener la ingesta diaria de vitamina B6. Consumir una taza de nueces mixtas te dará suficiente B6 para el día.

RECETA: Prepara una malteada con mucha vitamina B6. Licua leche de soya, yogurt, plátano, avellanas, germen de trigo y miel de maple. Acompáñala con dos rebanadas de pan tostado integral con una rebanada de aguacate o jitomate, un poco de jugo de limón y mucha pimienta.

El sashimi de salmón es una excelente manera de incorporar vitamina B6 a tu dieta. Corta rebanadas muy delgadas de salmón sin hueso y sírvelo con salsa de soya y wasabi.

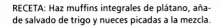

La VITAMINA B6 (PIRDOXINA) es hidrosoluble y esencial para liberar energía de los aminoácidos (proteínas) y para el metabolismo de carbohidratos y grasa. Es necesaria para el funcionamiento normal del sistema nervioso, para la formación de hemoglobina y glóbulos blancos, para el sistema inmunológico.

RECETA: Haz muffins integrales de plátano, añade salvado de trigo y nueces picadas a la mezcla.

DEFICIENCIA: Puede ser resultado de alcoholismo crónico y malnutrición. Entre los síntomas se encuentran depresión, dolores de cabeza, confusión, insensibilidad y cosquilleo en manos y pies, anemia, lesiones en la piel, inmunidad disminuida y crecimiento deficiente.

PRECAUCIÓN: La ingesta regular de altas dosis de vitamina B6 (más de 50-100mg/día) debe evitarse porque puede causar daño nervioso. Revisa las etiquetas de los complementos de vitamina B6 porque algunos contienen altas dosis.

VITAMINAS-HIDROSOLUBLES
VITAMINA B12 (COBALAMINA)

REFERENCIA DE INGESTA DE NUTRIENTES
Mujeres y varones: 1.5mcg/día. Lactancia: 2.0mcg/día.

Los mariscos y pescados, en especial almejas, ostiones, sardinas y mejillones, son una buena manera de obtener vitamina B12 y otros nutrientes esenciales.

FUENTES DE ALIMENTOS	mcg por c/100g
Almejas, cocidas	99
Hígado de cordero	83
Hígado de ternera, frito	58
Riñón de cordero, frito	54
Berberecho, hervido	47
Hígado de pollo, frito	45
Bigaro, hervido	36
Mejillón, hervido	22
Paté de macarela ahumada	18
Ostiones, crudos	17
Sardinas enlatadas, en aceite	15
Arenque, a la parrilla	12
Sardinas, a la parrilla	12
Anchoas enlatadas en aceite	11
Arenque, horneado	11
Ostiones, al vapor	9
Paté de hígado	8
Yema de huevo	6.9
Salmón, al vapor	6
Corazón de cordero, rostizado	6
Atún, enlatado en aceite	5.0
Trucha, a la parrilla	5.0
Cordero, magro, rostizado	3.0
Res magro, rostizado	3.0
Salmón ahumado	3.0
Queso emmental	2.0
Cereales fortificados	1.0-2.2
Queso edam	2.1
Queso cheddar	1.1
Huevo entero, hervido	1.1
Queso feta	1.1
Leche entera	0.4

RECETA: Con un poco de vino cuece al vapor almejas con jitomate picado, cebolla y ajo. Elimina las que no se abran. Espolvorea un poco de queso feta y perejil picado.

Los productos lácteos, en especial los quesos que son fermentados con bacterias, moho o penicilina, son buena fuente de vitamina B12. Los vegetarianos pueden incluir estos quesos en su dieta.

Los alimentos animales (res, cordero, pollo) contienen vitamina B12, en especial el hígado y otros órganos que son fuente de muchas vitaminas.

La VITAMINA B12 (COBALAMINA) es hidrosoluble y esencial para el crecimiento y la producción de energía a partir de ácidos grasos. Es necesaria para la síntesis del ADN y para el funcionamiento nervioso normal. Se forma por las bacterias, hongos y algas, pero no por plantas y animales.

Las yemas de huevo son una buena fuente de esta vitamina de manera que inclúyelas en tu dieta.

DEFICIENCIA: La deficiencia más grave es anemia perniciosa. Entre los síntomas se encuentra fatiga, depresión, insensibilidad y cosquilleo en las extremidades ocasionado por el daño nervioso, debilidad muscular y pérdida de la memoria. Debido a que los alimentos vegetales no contienen vitamina B12, los vegetarianos estrictos (veganos) quizá necesiten complementos de vitamina B12 para satisfacer los requerimientos. También deben someterse a chequeos porque los síntomas pueden tardar años en manifestarse. La gente con desórdenes gastrointestinales también corre riesgo. El consumo excesivo de alcohol inhibe la absorción. El exceso de vitamina B12 es eliminado en la orina y no se sabe de efectos adversos por una alta ingesta.

VITAMINAS-HIDROSOLUBLES
FOLATO o ÁCIDO FÓLICO

REFERENCIA DE INGESTA DE NUTRIENTES
Mujeres y varones: 200mcg/día. (Embarazo: 300mcg/día, ver también "Necesidades extra" en la página opuesta. Lactancia: 260mcg/día).

FUENTES DE ALIMENTOS	mcg por c/100g
Levadura seca	4000
Hígado de pollo, frito	1350
Extracto de levadura	1150
Extracto de carne	1050
Harina de soya	345
Germen de trigo	331
Cereales fortificados	150-330
Hígado de cordero, frito	260
Alubias pintas, hervidas	210
Elotitos baby frescos o congelados, hervidos	152
Frijoles pintos, hervidos	145
Germen de brócoli, hervido	140
Muesli, estilo suizo	140
Yema de huevo	130
Col de Bruselas, hervida	110
Cacahuates	110
Queso camembert	102
Acelga, hervida	100
Paté de hígado	99
Semillas de ajonjolí	97
Espinaca, hervida	90
Queso stilton	77
Avellanas	72
Nueces de la India	67
Nueces de nogal	66
Avena entera	62
Harina de avena	60
Ejotes, hervidos	57
Lechuga	55
Frijoles de soya, hervidos	54
Naranja	31

RECETA: Prepara la ensalada más verde con lechuga romana, brócoli al vapor, espárragos, espinacas baby, frijoles de soya y aguacate. Acompañe con aderezo de naranja, soya y aceite de nuez para un platillo de chilli con carne.

Una dieta rica en frijoles y legumbres asegura que tendrás altos niveles de ácido fólico. Las ensaladas de frijoles son fáciles de preparar y duran hasta una semana en el refrigerador dentro de un recipiente cerrado. Son deliciosas calientes o frías.

La LEVADURA SECA es fuente rica en folato. Poner una cucharada a una malteada de plátano y dátiles con una cucharada de germen de trigo es una manera sencilla de obtenerlo.

Las verduras de hoja verde, como espinacas, brócoli y lechuga son una excelente forma de obtener folato. Sin embargo, la cocción a altas temperaturas, la luz y el almacenamiento prolongado a temperatura ambiente lo destruye, de manera que es mejor consumirlas frescas, al vapor o srti-fry.

El FOLATO o ÁCIDO FÓLICO es una vitamina esencial para el sistema nervioso y el correcto funcionamiento del cerebro. También es necesario para el crecimiento y reproducción de las células del cuerpo. Es vital para el sano desarrollo de bebés en el útero. El ácido fólico recibió su nombre de la palabra en latín para hoja.

RECETA: Para una guarnición de verduras llena de folato hierve brócoli y ejotes, con avellanas picadas y semillas de girasol y de ajonjolí. Báñala con mantequilla y limón.

NECESIDADES EXTRA: Aunque es poco común, una deficiencia severa de ácido fólico ocasiona una especie de anemia (anemia megalobástica), lengua rojiza e hinchada, diarrea crónica y crecimiento deficiente (en niños). Los niveles bajos de ingesta de ácido fólico no presentan síntomas pero elevan el riesgo de enfermedades coronarias y defectos de nacimiento.

PRECAUCIÓN: Se aconseja a las embarazadas que tomen 400mcg de complemento de ácido fólico cada día hasta la duodécima semana de embarazo. Se cree que al tomar suficiente ácido fólico se reduce el riesgo de que el bebé nazca con defectos en el tubo neural.

VITAMINA C (ÁCIDO ASCÓRBICO)

REFERENCIA DE INGESTA DE NUTRIENTES
Mujeres y varones: 40mg/día. (Embarazo: 50mg/día. Lactancia: 70mg/día).

FUENTES DE ALIMENTOS	mg por c/100g
Guayaba	230
Chile rojo	225
Grosella negra	200
Perejil	190
Pimiento rojo	140
Pimiento verde	120
Fresa	77
Col rizada, hervida	71
Berro	62
Col savoy	62
Col de Bruselas, hervida	60
Papaya	60
Kiwi	59
Col morada, cruda	55
Naranja	54
Jugo de naranja, fresco	48
Brócoli, hervido	44
Jitomate, asado	44
Coliflor	43
Grosella roja	40
Elotitos baby frescos o congelados, hervidos	39
Jugo de naranja sin endulzar	39
Jugo de limón	38
Nectarina	37
Mango	37
Toronja	36

RECETA: Asa al carbón trozos de atún o pescado y acompaña con una ensalada de mango, jitomate, cebolla morada, chile y pimientos verdes y rojos. Sirve sobre col china finamente rallada bañada en aceite de ajonjolí, jugo de limón y perejil fresco.

RECETA: Una bebida preparada con moras mixtas, jugo de naranja, papaya y hielo, licuada hasta que esté suave te ayudará a aumentar tu ingesta de vitamina C.

(continúa)

Es fácil obtener los requerimientos de vitamina C al comer mucha fruta y verduras. Mientras más frescas estén, contienen más vitamina, así que trata de cultivarlas. Los chiles y las hierbas crecen con facilidad.

La VITAMINA C (ÁCIDO ASCÓRBICO) es hidrosoluble, necesaria para la formación de tejido conectivo como el colágeno, útil para piel, huesos, cartílagos y dientes sanos. La vitamina C también es necesaria para la síntesis de neurotransmisores, hormonas como la tiroides y las sexuales, y la caritina ayuda a descomponer la grasa.

Los niveles de vitamina C en la comida se pierden durante el transporte, procesamiento, almacenamiento, cocimiento, manejo y corte, de manera que compra regularmente frutas y verduras frescos. La vitamina C dura más en los cítricos que en otras frutas o verduras. El jugo de naranja mantiene el contenido de vitamina C hasta dos días si se guarda en un recipiente hermético dentro del refrigerador.

La vitamina C es la menos estable de todas y es muy sensible al oxígeno, luz, calor y ciertos metales como cobre y hierro. El cocimiento reduce la vitamina C de los alimentos en un 50 %. Cocer en el microondas, al vapor o stir-fry ayuda a preservar la vitamina C.

VITAMINA C (ÁCIDO ASCÓRBICO)

RECETA: Cuece un poco de brócoli al vapor, báñalo con jugo de limón y aceite de ajonjolí, salsa de ostión y espolvorea ajo frito fileteado.

FUENTES DE ALIMENTOS	mg por c/100g
(continuación)	
Hojas verdes para ensalada	36
Frambuesas	32
Col morada, hervida	32
Arveja china	32
Jugo de toronja, sin endulzar	31
Durazno	31
Jitomates cherry	28
Coliflor, hervida	27
Mandarina satsuma	27
Melón	26
Espinaca	26
Cebollín	26
Grosella espinosa	26
Jugo de mango, enlatado	25
Hígado de pollo, frito	23
Camote, cocido	23
Maracuyá	23
Col china	21
Calabaza, cruda	21
Ensalada de col y zanahoria (con mayonesa)	20
Haba, hervida	20
Col, hervida	20
Ajo	17
Arándano	17
Rábano, rojo	17
Chícharo, hervido	16
Calabaza, hervida	11

Hay un límite para la cantidad de vitamina C que absorben los tejidos del cuerpo en una vez, de manera que se recomienda el consumo regular y moderado durante el día al tomar alimentos ricos en vitamina C. El exceso es eliminado por la orina.

RECETA: Prepara un cous cous dulce al calentar un poco 450ml (1 pinta) de jugo de naranja y verterlo sobre 175g (6oz) de cous cous. Agrega una ramita de canela, tapa y déjalo reposar hasta que el líquido se absorba. Sirve con ensalada de frutas.

La VITAMINA C (ÁCIDO ASCÓRBICO) actúa como antioxidante para proteger al cuerpo del daño causado por los radicales libres y contaminantes como fumar cigarrillos y la contaminación del aire. Los fumadores deben consumir el doble de la RNI para mantener los niveles de vitamina C porque el cuerpo la usa mucho para proteger los tejidos del humo y los químicos del cigarro. La vitamina C también ayuda a la sanación y la absorción de hierro.

DEFICIENCIA: Los síntomas son susceptibilidad a infecciones, pérdida de apetito, calambres musculares, piel reseca, cabello debilitado, encías sangrantes, digestión deficiente, sangrado nasal, anemia. Los bebés que consumen sólo leche de vaca pueden presentar escorbuto, también los alcohólicos y los ancianos con malas dietas.

PRECAUCIÓN: Más de 1g diario ocasiona calambres abdominales, diarrea y náusea. Más de 3g al día interfieren con medicamentos que frenan la coagulación sanguínea y con pruebas que monitorean los niveles de glucosa de la sangre. Personas con problemas renales o tendencia genética a almacenar exceso de hierro no deben consumir dosis altas.

Los cítricos son una fuente excelente de vitamina C. Estimula la actividad del sistema inmunológico y aumenta la descomposición de la histamina, una molécula que causa inflamación. Ayuda a proteger al cuerpo de virus. Por las razones anteriores reduce la severidad de los síntomas del resfriado.

VITAMINAS-HIDROSOLUBLES

BIOTINA

No RNI. La ingesta entre 10 y 200mcg/día se consideran sanas y adecuadas.

FUENTES DE ALIMENTOS	mcg por c/100g
Hígado de pollo, frito	216
Levadura seca	200
Cacahuates, rostizados, salados	102
Mantequilla de cacahuate	102
Nueces mixtas	86
Almendras	64
Platija, asada	57
Hígado de ternera, frito	50
Yema de huevo	50
Salvado de trigo	45
Hígado de cordero, frito	33
Germen de trigo	25
Frijoles de soya, hervidos	25
Huevo, entero	20
Hojuelas de avena	20
Nueces de nogal	19
Muesli, estilo suizo	15
Paté de hígado	14
Nueces de la India	13
Asaduras de cordero, hervidas	12
Sardinas europeas, enlatadas en salsa de jitomate	11
Nueces de Brasil	11
Arenque, asado	10
Salmón rosa, enlatado en salmuera	9
Salmón, asado	9
Queso camembert	8
Queso duro	3
Leche semi-descremada	2
Yogurt, de leche entera, fruta	2

Pasta de nuez en lugar de mantequilla o margarina sobre un pan no sólo añade sabor sino que aumenta el contenido de biotina y vitaminas.

A diferencia de otras vitaminas, la biotina es estable ante la luz, el calor y el ácido. La clara cruda de huevo contiene avidina (proteína que previene la absorción de la biotina), pero se destruye al cocerla.

RECETA: Frie rebanadas delgadas de hígado de cordero en un poco de aceite y mantequilla con cebolla picada y trozos de tocino. Añade un poco de harina para espesar y un poco de caldo, calienta a fuego lento hasta que se haga un gravy.

Los frijoles de soya secos se venden en los supermercados o tiendas naturistas. Son fáciles de cocer. Hiérvelos en agua con un poco de sal y sírvelos como verdura verde. También puedes encontrarlos enlatados.

La BIOTINA, miembro del grupo del complejo de vitaminas B, es necesaria para el crecimiento celular y el metabolismo de las proteínas, ácido fólico, B5 y B12. Es importante para ayudar al cuerpo a usar la glucosa y para mantener cabello y uñas sanas. Sin la biotina en la dieta, la capacidad del cuerpo de descomponer la comida grasosa es deficiente.

RECETA: Los copos de avena, el salvado de trigo y las nueces proporcionan biotina, así que empieza tu día con un plato de avena con salvado de trigo, nueces y fruta.

NUTRIENTES-HIDROSOLUBLES

FLAVONOIDES

No RNI. Es difícil obtener valores exactos.

FUENTES DE ALIMENTOS

Chabacanos
Betabel
Zarzamora
Grosella negra
Arándano
Haba
Brócoli
Trigo sarraceno
Col
Cereza
Arándano
Endivia
Ajo
Toronja
Uva
Té verde
Limón
Lima
Mandarina
Melón
Mora
Cebolla
Naranja
Papaya
Perejil
Nueces pecanas
Pimiento
Ciruela
Papa
Ciruela pasa
Rábano
Zarzamora
Escaramuza
Calabaza

La quercitina es un flavonoide presente en los cítricos, moras, jitomates y papas, ayuda a reducir la producción de histamina y los síntomas de alergia e inflamación.

Estos antioxidantes se encuentran en la mayoría de las frutas y verduras, lo cual ayuda a explicar porqué el consumo regular de una amplia variedad de frutas y verduras frescas reduce el riesgo de enfermedades coronarias y cáncer.

Los flavonoides se encuentran en muchas frutas, de manera que consume muchas y bebe jugos de frutas recién hechos.

RECETA: Para obtener flavonoides, sirve un yogurt de moras hecho en casa con frutas frescas y más moras.

Los FLAVONOIDES son un grupo de fitoquímicos presentes en todas las plantas. Se han identificado más de 4000 flavonoides. Son antioxidantes que se encuentran en la mayoría de las frutas y las verduras. Existen en flores y acompañan a la vitamina C en las hojas y los tallos de frutas de colores brillantes. Previenen la oxidación de los tejidos y eliminan a los radicales libres. Son antioxidantes más poderosos que las vitaminas C, E y el selenio.

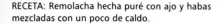

Para ayudar la ingesta de flavonoides sustituye tu taza de té por té verde calmante o reemplaza la cerveza por vino tinto.

RECETA: Remolacha hecha puré con ajo y habas mezcladas con un poco de caldo.

Los FLAVONOIDES son compuestos de pigmentos que dan el color rojo y azul a las zarzamoras, moras y la col morada; el color amarillo pálido a las papas, cebollas y ralladura de cítricos. Se encuentran en mayores cantidades en la cáscara de los cítricos, más que en el jugo, así que inclúyelas en las ensaladas y jugos, en pequeñas cantidades porque son amargas.

NUTRIENTES-HIDROSOLUBLES

INOSITOL

No RNI. Los valores exactos son difíciles de obtener, puede ser creado en el cuerpo.

FUENTES DE ALIMENTOS

Cebada
Vigna
Pan integral
Col
Garbanzo
Levadura seca
Toronja
Lentejas
Lechuga
Habas verdes
Melón
Avena
Cebolla
Naranja
Mantequilla de cacahuate
Cacahuate, tostado
Chícharo verde
Nueces pecanas
Pasas
Salvado de arroz
Arroz integral
Germen de arroz
Harina de soya
Frijoles de soya
Fresa
Sandía
Germen de trigo

Cuece un poco las lentejas en caldo con hoja de laurel y cebolla con clavo. Sazona con sal, pimienta y hierbas frescas picadas. Son un acompañamiento excelente para cualquier comida.

Todos los cítricos, a excepción de los limones, en jugo o en su forma natural proporcionan inositol en cantidades generosas.

La lechuga y otros alimentos de la lista son buenas fuentes de inositol así como de otras vitaminas y minerales.

El muesli hecho en casa es una forma de combinar alimentos que contienen inositol. Mezcla avena, germen de trigo, salvado de arroz, pasas y nueces. Guárdalo en un recipiente con tapa.

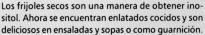

Los frijoles secos son una manera de obtener inositol. Ahora se encuentran enlatados cocidos y son deliciosos en ensaladas y sopas o como guarnición.

Medio melón, una cajita de fresas o una rebanada grande de sandía aumentan los niveles de inositol.

El INOSITOL funciona de manera similar a la colina (ver página 57) y al igual que ella, no es vitamina porque se forma en el cuerpo a partir de la glucosa. Es un componente de los compuestos grasos en las membranas de las células, donde su papel es entregar los mensajes de las hormonas a los neurotransmisores al interior de la célula. Al parecer participa en el metabolismo del colesterol y la grasa. Se combina con colina para formar lecticina.

La cebada es una guarnición deliciosa para cualquier alimento y se cuece como el arroz. Para dar más sabor sustituye el agua por caldo y el líquido donde se rehidrataron los champiñones secos.

DEFICIENCIA: Es poco común y no probable en personas sanas. El inositol se sintetiza a partir de la glucosa y no se ha comprobado que sea esencial en la dieta puesto que se forma en el cuerpo.

NUTRIENTES-HIDROLOLUBLES

COLINA

No RNI porque se produce en el cuerpo hasta cierto grado.

FUENTES DE ALIMENTOS

Cebada
Res
Vigna
Melaza
Sesos
Col
Coliflor
Garbanzo
Levadura seca
Huevo
Yema de huevo
Jugo de uva
Jamón
Riñón, todos tipos
Lentejas
Lechuga
Hígado, todos tipos
Copos de avena
Cacahuates, tostados
Mantequilla de cacahuate
Cerdo
Papa
Arroz integral
Frijoles de soya
Espinaca
Arveja
Camote
Proteína de textura vegetal
Ternera
Salvado de trigo
Germen de trigo

La leticina es la fuente más rica en colina y se usa como aditivo para el helado de crema, margarina, chocolate y mayonesa para separar el aceite de los demás ingredientes (como agente emulsionante).

Hummus con verduras verdes hervidas es una botana nutritiva a la hora de estudiar –la colina es responsable de un químico del cerebro que ayuda a la memoria.

RECETA: Bate tres huevos, leche y queso cheddar rallado. Sazona con sal y pimienta, agrega hojas de espinaca picadas y trozos de camote al vapor. Hornea hasta que esté firme.

Un huevo proporciona más o menos colina suficiente para un día.

La COLINA no está clasificada como vitamina porque se forma en el cuerpo pero existe evidencia de que es indispensable incluirla en la dieta durante ciertas etapas de la vida. Es necesaria para la síntesis del neurotransmisor acetilcolina, el cual participa en la función nerviosa y mental y en la memoria. La deficiencia es poco común y ocasiona problemas de hígado.

Un sándwich de jamón y huevo con pan integral añade a tu dieta algunos de estos componentes esenciales.

minerales

MINERALES-MACROMINERALES

CALCIO

REFERENCIA DE INGESTA DE NUTRIENTES
Mujeres y varones: 700mg/día. (Lactancia:
1250 mg/día).

RECETA: En la cocina japonesa se usan algas kelp, wakame y nori. Para hacer una sopa miso, calentar a fuego lento kelp, miso y dashi en gránulos durante 10 minutos antes de añadir pequeños cubos de tofu. Espolvorear con tiras de alga rostizada, opcional.

FUENTES DE ALIMENTOS	mg por c/100g
Queso parmesano	1200
Queso emmental	970
Queso gruyère	950
Queso edam	770
Queso cheddar	720
Tahini	680
Semillas de ajonjolí	670
Salsa de pesto	560
Queso brie	540
Sardinas, enlatadas en salmuera	540
Tofu de frijol de soya, al vapor	510
Leche malteada en polvo	430
Alga nori, seca	430
Salmón rosa, enlatado con carne y huesos	300
Polvo de algarroba	390
Leche entera, evaporada	290
Almendras	240
Higos	230
Leche con chocolate	220
Harina de soya	210
Perejil	200
Yogurt bajo en grasa	190
Espinaca	170
Berro	170
Col rizada, hervida	150
Chips de tortilla	150
Yogurt griego	150
Muffins	140
Avellanas	140
Ostiones	140
Helado de vainilla	130

El calcio se absorbe en su mayoría de los lácteos porque la lactosa (azúcar de la leche) aumenta la absorción del calcio. Si eres intolerante a la lactosa quizá toleres de 2 a 3 porciones al día, consumidas en cantidades pequeñas. La crema entera es más fácil de digerir que la descremada.

(continúa)

RECETA: Una ensalada de espinacas baby espolvoreadas con semillas de ajonjolí tostadas, queso parmesano rallado y almendras crudas es una manera perfecta de acompañar cualquier platillo.

El CALCIO es el mineral más abundante en el cuerpo y funciona con fósforo y otros elementos para fortalecer dientes y huesos. El calcio es necesario para la coagulación de la sangre y la transmisión de los impulsos nerviosos. Es esencial en la regulación de enzimas, en la secreción de insulina en adultos y la regulación de la función muscular. La vitamina D es necesaria para la absorción del calcio.

Si quieres evitar lácteos elige productos de leche de soya fortificados con calcio.

Contrario a la creencia popular, no se requiere calcio extra durante el embarazo y se debe a que el cuerpo se vuelve más eficiente para la absorción de calcio. Se recomienda durante el amamantamiento como precaución. Niños y adolescentes deben obtener calcio suficiente para asegurar su crecimiento. El queso es una de las fuentes más ricas de calcio. Prueba los tipo suizo, como el emmental.

MINERALES-MACROMINERALES

CALCIO

FUENTES DE ALIMENTOS	mg por c/100g
(continúa)	
Tempeh	120
Piña, seca	120
Pan de germen de trigo	120
Leche descremada o semi-descremada	120
Leche entera	115
Pan blanco	110
Brócoli germen	110
Camarón, hervido	110
Panes de pasas	110
Semillas de girasol	110
Galletas de crema	110
Bollos integrales	110
Queso cottage	110
Muesli estilo suizo	110
Queso crema	98
Nueces de nogal	94
Crema agria	93
Chabacano seco	92
Dedos de bacalao, asados	92
Crema fresca, simple	91
Fromage frais	89
Tzatziki	88
Macarela enlatada en salsa de jitomate	82
Miso	73
Frijoles rojos, enlatados	71
Poroto	65
Pasas de corinto	64
Nueces pecanas	61
Huevo entero, crudo o pochado	57
Brócoli	56
Hojuelas de avena	55
Arvejas chinas	54
Frijoles, enlatados en salsa de jitomate	53
Naranjas	47
Garbanzos, hervidos	46

(continuación)

Las sardinas frescas o enlatadas, con hueso, son una rica fuente de calcio. Báñalas con jugo de limón y espolvorea mucha canela negra molida.

El calcio es necesario para la coagulación sanguínea, para la contracción muscular y la función nerviosa. Aunque el calcio de las espinacas no se absorbe de la misma manera que en otros productos, sí proporciona calcio y otros nutrientes esenciales.

La absorción de calcio es aumentada por la lactosa, el azúcar natural presente en la leche y los lácteos, de manera que el calcio en los lácteos se absorbe fácilmente. Un tazón de yogurt es un manera fácil de obtener calcio.

RECETA: Prepara una comida llena de calcio con chips. Úntales frijoles refritos, queso cheddar rallado y crema agria. Sirve con aguacate machacado.

Las nueces y semillas son una buena fuente de calcio, en especial las semillas de girasol que se usan para cubrir los alimentos, añadir sabor las ensaladas o como pasta tahini para untar en el pan.

La siguiente vez que hornees, sustituye el polvo de algarroba por cocoa en polvo para aumentar el calcio.

CALCIO. En niños, adolescentes y adultos jóvenes, los huesos crecen a lo ancho y largo y además se vuelven más densos a medida que la cantidad de calcio y otros minerales aumenta. Lo anterior los hace más fuertes y mientras más fuertes estén existe menos peligro de que se fracturen. Suponiendo que consumamos calcio suficiente, la densidad ósea aumenta hasta finales de los 20 y principios de los 30, cuando alcanza su punto más alto. De ahí en adelante se eliminan y reemplazan más células óseas y por ello los huesos se debilitan a medida que envejecemos. Es un proceso normal, pero si tienes baja masa ósea quizá pierdas más células óseas a medida que envejezcas y desarrolles osteoporosis más adelante. El estrógeno ayuda a mantener el calcio en los huesos, de manera que la pérdida se acelera después de la menopausia. Aunque el punto más alto se alcanza a temprana edad, es importante mantener una ingesta adecuada de calcio a medida que creces.

DEFICIENCIA: Los signos son osteoporosis, osteomalacia, espasmos y calambres musculares, palpitaciones cardiacas, presión sanguínea alta, raquitismo y dolor en las articulaciones. La mayoría de la gente no se beneficia de los complementos de calcio porque no es difícil obtenerlo de la dieta.

MINERALES-MACROMINERALES
MAGNESIO

REFERENCIA DE INGESTA DE NUTRIENTES
Mujeres: 270mg/día. (Lactancia: 320mg/día).
Varones: 300mg/día.

FUENTES DE ALIMENTOS	mg por c/100g
Salvado de trigo	520
Cocoa en polvo	520
Alga marina, seca, wakame	470
Nueces de Brasil	410
Semillas de girasol	390
Tahini	380
Semillas de ajonjolí	310
Bígaro, hervido	340
Germen de trigo	270
Nueces de la India	270
Almendras	270
Piñón	270
Levadura seca	230
Cacahuate	210
Mantequilla de cacahuate	180
Salvado de avena y de trigo	180
Melaza	180
Nueces de nogal	160
Extracto de levadura	160
Avellana	160
Camarón, hervido	110
Pan de centeno, tostado	100
Mostaza de grano entero	93
Acelga	86
Higos, secos	80
Pan integral	76
Tempeh	70
Chabacanos secos	65
Frijoles de soya	63
Houmous	62
Camarón, hervido	49
Espinaca, hervida	34
Tofu	23

El magnesio se encuentra en verduras de hoja verde, así que usa espinacas en las pastas, ensaladas y sándwiches.

RECETA: Tacos de camarón o tofu rellenos de espinaca en tiras, jitomate, zanahoria y salsa.

El magnesio es co-factor de más de 300 enzimas necesarias para los procesos vitales como la producción de energía a partir de los carbohidratos, grasas y proteínas, y la síntesis del ADN. Una manera fácil de añadir magnesio a tu dieta es comer botanas de fruta seca o nueces mixtas o espolvorear cucharadas de germen de trigo sobre tu cereal o yogurt.

RECETA: Tofu espolvoreado con melaza y servido con una compota de fruta seca al vapor, es un desayuno delicioso.

El magnesio ayuda a regular el equilibrio de calcio en el cuerpo, es necesario para la acción de la vitamina A y muchas hormonas, así que consume muchos alimentos que lo contengan.

El MAGNESIO, junto con el calcio y el fósforo, es necesario para huesos fuertes y sanos y para la función muscular. Es esencial para la acción de la vitamina D y para la absorción del calcio y de muchas hormonas. Los síntomas de bajos niveles en el cuerpo son espasmos musculares, temblores, calambres, cambios en la presión sanguínea y ritmo cardiaco. Es difícil consumir demasiado magnesio puesto que la absorción disminuye a medida que la ingesta aumenta y los riñones eliminan el exceso.

RECETA: Las semillas de ajonjolí y de girasol son fuente de magnesio. Combinadas con almendras en trozos, nueces de nogal y piñones con queso ricotta forman un relleno delicioso para la ternera, pollo o cerdo o puedes espolvorearlo sobre champiñones cocidos.

MINERALES-MACROMINERALES
FÓSFORO

REFERENCIA DE INGESTA DE NUTRIENTES
Mujeres y varones: 550mg/día. (Lactancia:
990mg/día).

FUENTES DE ALIMENTOS	mg por c/100g
Levadura seca	1290
Salvado de trigo	1200
Germen de trigo	1050
Queso procesado, ahumado	1030
Extracto de levadura	950
Semillas de calabaza	850
Queso para untar	790
Semillas de ajonjolí	720
Piñones	650
Semillas de girasol	640
Queso gruyère	610
Nueces de Brasil	590
Queso emmental	590
Nueces de la India	560
Almendras	550
Sardinas, enlatadas en aceite	520
Yema de huevo	500
Queso cheddar	490
Salsa de pesto	480
Rape, asado	480
Paté de hígado	450
Arenque, asado	430
Riñón de cerdo, frito	430
Sardinas, enlatadas en salsa de jitomate	420
Hígado de ternera, frito	380
Nueces de nogal	380
Avena	380
Mantequilla de cacahuate	370
Riñón de cordero, frito,	350
Pechuga de pollo, frita sin piel	310
Queso feta	280
Leche	92

RECETA: Asa al carbón filetes de pechuga de pollo previamente marinadas en jugo de limón o vinagre, semillas de ajonjolí, ajo y kecap manis. Cuece hasta que estén suaves y sírvelas rebanadas sobre una ensalada de arúgula, queso de cabra y betabel con aderezo de aceite de oliva y ajo.

Los alimentos ricos en proteínas contienen mucho fósforo, los despojos tienen mayores niveles que un filete. Un pie de filete y riñón es una manera deliciosa de incluir despojos a tu dieta.

RECETA: Para una comida vegetariana rica en fósforo prepara champiñones a la parrilla o stir-fry con trozos marinados de queso feta en un poco de su aceite y una lata de frijoles condimentados.

RECETA: Asa semillas de calabaza sin sal con un poco de miel y semillas de ajonjolí durante 15 minutos a temperatura media en el horno. Es una botana que te da fósforo.

El FÓSFORO es el segundo mineral más abundante en el cuerpo, después del calcio. Se encuentra en todas las células del cuerpo y tiene un importante papel estructural. Junto con el calcio es necesario para la fuerza de los huesos. Casi todas las reacciones químicas del cuerpo lo requieren y también para producir energía. La deficiencia casi no se da porque muchos alimentos lo contienen –en mayores cantidades que el calcio.

El fósforo se absorbe fácilmente en el cuerpo, más que el calcio. Algunos lácteos, y algunas variedades bajas en grasa, contienen cantidades relativamente grandes de fósforo.

MINERALES-MACROMINERALES

SODIO

REFERENCIA DE INGESTA DE NUTRIENTES
Mujeres y varones: 1600mg/día

Los mariscos son una fuente natural de sodio. Contienen mayores niveles que el pescado y frescos son mejores porque muchos mariscos enlatados contienen cloruro de sodio añadido durante el procesamiento.

FUENTES DE ALIMENTOS	mg por c/100g
Sal	39300
Bicarbonato de sodio	38700
Caldo en cubos	10300
Salsa de soya	7120
Granos de gravy instantáneo	6330
Extracto de carne	4370
Extracto de levadura	4300
Camarones, hervidos	3840
Miso	3650
Polvo de sopa instantánea	3440
Tocino, asado	2240
Aceitunas en salmuera	2000
Jamón, asado	1930
Salmón ahumado	1880
Salami	1800
Salsa cátsup	1630
Langostinos, hervidos	1590
Queso feta	1440
Mantequilla	750
Houmous	670
Queso cheddar	670
Galletas digestivas	660
Pan integral	550
Pan blanco	520
Sardinas, enlatadas en aceite	450
Queso cottage	380
Langosta, hervida	330
Ostión, al vapor	180
Huevo, hervido	140
Yogurt bajo en grasa	83
Leche descremada y entera	55

La mayoría de la gente, en especial quienes tienen presión sanguínea alta, necesita limitar la cantidad de sodio de su dieta. Una manera de hacerlo es eliminar la sal de mesa, comprar productos con poca sal y estar pendiente de la cantidad de alimentos procesados que se consumen.

RECETA: Saca los ostiones de la concha y fríelos con un poco de aceite de oliva. Coloca espinacas picadas en las conchas limpias, coloca encima un ostión y sirve con queso feta desmenuzado y pimientos marinados asados.

La transpiración excesiva, diarrea y vómito prolongado aumenta la necesidad de sodio. Las bebidas hidratantes son una manera simple de obtener sodio. Contrario a lo que se cree, tomar tabletas de sal no detiene los calambres, así que no las tomes si estás sano. La falta de líquido es lo que causa los calambres.

El SODIO trabaja con el potasio y el cloro para regular el equilibrio de ácidos y líquidos en el cuerpo. Es necesario para el adecuado funcionamiento muscular y nervioso y para mantener un ritmo cardiaco normal. La sal de mesa contiene 40% de sodio y 60% de cloro, el nombre químico es cloruro de sodio. La mayoría de la gente en países occidentales come más sal de la que necesita y la deficiencia es poco común.

La leche y los lácteos contienen niveles relativamente altos de sodio, así que si consumes productos lácteos todos los días no necesitas salar la comida.

PRECAUCIÓN: En el Reino Unido se consume un promedio de 12g de sal al día. El cuerpo necesita menor cantidad (4g). Consumir mucha sal aumenta la cantidad de líquido que retienes en el cuerpo, esto aumenta la presión sanguínea –factor principal de enfermedades coronarias y ataques al corazón. Cerca de tres cuartos de la ingesta de sal provienen de alimentos procesados como carnes curadas o ahumadas, productos de carne, salsas y condimentos embotellados, sopas enlatadas, queso procesado, frituras y botanas saladas. Las etiquetas no siempre muestran el contenido de sal, pero el nombre químico es cloruro de sodio y en las etiquetas de información nutricional se dan los valores de sodio. 1g de sodio equivale a 1.5g de sal.

MINERALES-MACROMINERALES
POTASIO

REFERENCIA DE INGESTA DE NUTRIENTES
Mujeres y varones: 3500mg/día

FUENTES DE ALIMENTOS	mg por c/100g
Extracto de levadura	2100
Levadura seca	2000
Chabacanos secos	1880
Melaza	1760
Salvado de trigo	1160
Duraznos, secos	1100
Pasas	1060
Pasas de corinto	1020
Germen de trigo	950
Piñones	780
Almendras	780
Perejil	760
Avellanas	730
Semillas de girasol	710
Dátiles, secos	700
Cacahuates	760
Nueces de Brasil	660
Papas, cocidas con cáscara	630
Ajo	620
Cilantro	540
Pargo rojo, frito	460
Aguacate	450
Nueces de nogal	450
Trucha, a la parrilla	410
Plátano	400
Tempeh	370
Atún enlatado, en aceite	260
Yogurt	250
Zanahorias	170
Naranjas	150
Leche entera	140
Espinacas, hervidas	120
Manzanas	120

Una taza de frutas secas es una manera fácil de obtener el requerimiento diario de potasio. Consumidas solas o hervidas en un poco en jugo de naranja con especias son un postre o desayuno bajo en grasa.

RECETA: Los vegetarianos pueden obtener cantidades generosas de potasio al incluir tempeh en su dieta. Puedes marinarlo en soya baja en sal, jengibre y cocerlo al vapor, frito o a la parrilla y servido con verduras al vapor.

Si tienes tendencia a presión alta, disminuye la ingesta de sodio y aumenta la de potasio al comer más frutas y verduras. Consume por lo menos 5 porciones de frutas y verduras todos los días.

Los plátanos contienen mucho potasio, inclúyelos en tu dieta diaria.

El POTASIO, igual que el sodio, es necesario para mantener el equilibrio de líquidos del cuerpo, funcionamiento adecuado de músculos y nervios y el metabolismo de proteínas y carbohidratos. El potasio está presente en muchos alimentos de manera que la deficiencia no es común. No debes usar sal de potasio en lugar de sal de mesa para reducir la ingesta de sodio porque es peligroso, en especial para los niños.

RECETA: Los mariscos, en especial el pargo, son ricos en potasio. Hornea un pargo entero y báñalo con salsa de hierbas picadas, piñones y ajo mezclado con mantequilla y ralladura de limón.

CLORO

REFERENCIA DE INGESTA DE NUTRIENTES
Mujeres y varones: 2500mg/día

FUENTES DE ALIMENTOS	mg por c/100g
Sal	59900
Caldo en cubos	16000
Salsa de soya	10640
Extracto de levadura	6630
Aceitunas en salmuera	3750
Tocino, asado	2780
Langostinos, hervidos	2550
Queso danés, azul	1950
Queso parmesano	1820
Queso edam	1570
Queso camembert	1120
Queso cheddar	1030
Pan blanco	820
Ostiones	820
Sardinas, enlatadas en salmuera	810
Salmón, enlatado en salmuera	730
Cacahuates, rostizados y salados	660
Mantequilla de cacahuate	540
Atún, enlatado en aceite	530

Se añade clorina al agua para la purificación porque previene el crecimiento de enfermedades que se transmiten a través del agua, como tifoidea y hepatitis. Hervir el agua evapora la clorina y mejora el sabor.

La sal de mesa se compone de 40% de sodio y 60% de cloro. La mayoría de las personas obtiene suficiente cloro de la sal presente en los alimentos y de la añadida a la comida procesada como conservador.

RECETA: En una rebanada de pan blanco pon una rebanada de queso edam, tocino asado y un huevo frito, acompañado de salsa de jitomate.

El cloro se combina con el hidrógeno en el estómago para formar ácido hidroclórico, esencial para la buena digestión. El queso cheddar añade cloro a tu dieta.

El CLORO, junto con sodio y potasio, es importante para mantener el equilibrio de líquidos en el cuerpo, es necesario para el funcionamiento correcto de los músculos y nervios. Casi toda la clorina de los alimentos y del cuerpo se encuentra en forma de cloro. La deficiencia no es común y sólo sucede cuando hay pérdida por periodos prolongados de vómito, diarrea y transpiración excesiva.

Las aceitunas en salmuera son una manera de obtener cloro. Cómelas solas o con ensaladas.

MINERALES-MACROMINERALES
SULFURO

No RNI. La mayoría proviene de las proteínas que consumimos.

FUENTES DE ALIMENTOS	mcg por c/100g
Polvo de mostaza	1280
Perdiz, asado	400
Cacahuates	380
Bacalao seco, salado, hervido	370
Mantequilla de cacahuate	360
Ganso, asado	320
Tocino magro, frito	310
Chuletas de cerdo, magras, asadas	310
Hígado de ternera, frito	300
Pavo, asado	290
Nueces de Brasil	290
Riñón de cordero, frito	290
Tocino magro, asado	290
Arenque, horneado	280
Filete de res, magro, asado	280
Nueces mixtas	280
Hígado de cordero, frito	270
Pato, asado	270
Pollo magro, asado	260
Hígado de pollo, frito	250
Queso parmesano	250
Duraznos, secos	240
Queso duro	230
Queso stilton	230
Huevo frito	200
Salmón, al vapor	190
Huevo, pochado o hervido	180
Almendras	150
Nueces de nogal	140
Pan blanco entero	130
Coles de Bruselas	78
Frijol rojo	65
Col morada, hervida	54

Los vegetarianos que no consumen huevo ni productos lácteos pueden aumentar los niveles de sulfuro al comer nueces, frijoles y verduras de la familia brassica, como la col y la col de Bruselas.

RECETA: Corta sobrecitos de pechugas de pollo, aplánalos y llénalos con queso stilton y fríelos a fuego medio hasta que estén bien cocidos. Sirve con verduras al vapor.

RECETA: Rebana finamente una col china, coloca encima cebollas baby asadas y coles de Bruselas cocidas, espolvorea con huevo duro y nueces de Brasil picadas. Baña con un aderezo de tahini, yogurt y cebollas de cambray.

El SULFURO es conocido como el mineral de la belleza porque es esencial para tener piel, uñas y cabello sanos. Ayuda a regular el balance ácido/alcalino del cuerpo. El sulfuro que contiene aminoácidos es necesario para la síntesis de proteínas, protección celular y desintoxicación.

Los alimentos ricos en proteínas, en especial huevos, carne y pescado, contienen mucho sulfuro. Si tu dieta contiene las proteínas adecuadas entonces satisface tu requerimiento de sulfuro.

Las cremas y ungüentos con base de sulfuro son buenos para quienes tiene problemas en la piel como soriasis, eczema y dermatitis.

DEFICIENCIA: Es poco común porque obtenemos sulfuro a partir de las proteínas de la dieta y está presente en algunos conservadores.

PRECAUCIÓN: Los alérgicos a la comida que contiene sulfuro deben evitar las frutas secas empaquetadas porque contienen sulfuro como conservador. Busca variedades sin sulfuro en las tiendas naturistas.

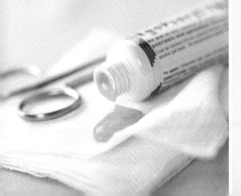

MINERALES-MICROMINERALES

HIERRO

REFERENCIA DE INGESTA DE NUTRIENTES
Mujeres de 18 a 50 años: 14.8mg/día. Mujeres
de 50+ años: 8.7mg/día. Varones: 8.7mg/día.

FUENTES DE ALIMENTOS	mg por c/100g
Berberecho, hervido	28
Melaza	21.3
Cereales fortificados	2-20
Alga, nori, seca	19.6
Salvado de trigo	19.2
Mejillones, enlatados o embotellados	13.0
Hígado de ternera, frito	12.2
Hígado de pollo, frito	11.3
Riñón de cordero, frito	11.2
Hígado de cordeo, frito	10.9
Tahini	10.6
Cocoa en polvo	10.5
Semillas de ajonjolí	10.4
Bígaro, hervido	10.2
Semillas de calabaza	10.4
Germen de trigo	8.5
Extracto de carne	8.1
Almejas, enlatadas en salmuera	8.0
Perejil	7.7
Paté de hígado	7.4
Mejillones, hervidos	6.8
Duraznos secos	6.8
Semillas de girasol	6.4
Nueces de la India	6.2
Yema de huevo	6.1
Encurtido de lima con aceite	5.8
Ostiones	5.7
Piñones	5.6
Grosella negra, enlatada en jugo	5.2
Cous cous	5.0
Bulgar	4.9

(continua)

La cocción prolongada y a altas temperaturas
reduce la cantidad de hierro de la comida, elige cortes de carne o pescado que puedan co-
cerse al vapor, pocharse o asarse al carbón y
trata de comer carne término medio-rojo

RECETA: El tofu proporciona hierro para los vegetarianos y pueden disfrutarlo en una comida
dulce y con mucho sabor. Sirve tofu firme ba-
ñado con una mezcla de salsa de chile dulce,
aceite de ajonjolí y salsa de soya. Acompaña
con nori rallada.

Debido a que las mujeres en periodo menstrual pierden en un mes el doble de la cantidad de hierro que los varones, es esencial que mantengan una dieta que les dé niveles adecuados de hierro. Los mejillones, almejas, ostiones y la carne son buenas fuentes de hierro.

La gente que consume grandes cantidades de té o café debe saber que así retarda la absorción de hierro. Es mejor sustituir dichas bebidas por jugo de fruta rico en vitamina C, la cual aumenta la absorción de hierro.

El HIERRO en el cuerpo es esencial para llevar oxígeno a las células. Es un componente de las dos proteínas transportadoras de oxígeno, la hemoglobina y mioglobina. Casi todo el hierro se encuentra en la hemoglobina de los glóbulos rojos, los cuales transportan oxígeno a las células y se llevan el dióxido de carbono. La mioglobina se encuentra en los músculos, en donde almacena oxígeno para usar durante actividades físicas.

Los despojos y la carne roja contienen una forma de hierro (hierro heme) fácilmente absorbido por el cuerpo. Los lineamientos de comida sana recomiendan que consumamos un máximo de 90g al día de carne roja y carnes procesadas.

HIERRO

FUENTES DE ALIMENTOS	mg por c/100g
(continuación)	
Miso	4.2
Chabacanos, secos	4.1
Pasas	3.8
Lentejas, hervidas	3.5
Tofu, al vapor, frito	3.5
Avellanas	3.2
Sardinas, enlatadas en aceite	3.1
Almendras	3.0
Frijoles de soya, hervidos	3.0
Nueces de nogal	2.9
Ciruelas pasa	2.9
Sardinas, enlatadas en salsa de jitomate	2.9
Pan integral	2.7
Poroto, hervido	2.5
Mantequilla de cacahuate	2.5
Cacahuate	2.5
Chocolate	2.3
Acelga, hervida	2.3
Filete de res, magro, asado	2.3
Berro	2.2
Huevo, frito	2.2
Pasas de corinto	2.2
Espinacas	2.1
Garbanzos, hervidos	2.1
Col rizada, hervida	2.0
Frijol rojo, enlatado	2.0
Houmous	1.9
Huevo, hervido	1.9
Espinaca, hervida	1.6
Chícharo, hervido	1.5
Filete de cerdo, magro, asado	1.3
Brócoli, hervido	1.0
Atún, enlatado en salmuera	1.0
Pollo, rostizado	0.7
Espárragos, hervidos	0.6
Salmón, asado	0.5
Arroz integral, hervido	0.5

Existen dos tipos de hierro en los alimentos. El hierro heme se encuentra en la carne y sus productos. El hierro no-heme está presente en plantas. El hierro heme es absorbido más rápidamente que el no-heme.

Los alimentos que contienen vitamina C aumentan la absorción de hierro no-heme de manera que conviene incluir estos alimentos en comidas ricas en hierro. Usa pimientos para los guisados y stir-fries.

RECETA: Asa al carbón filete de cuadril a término medio, rebánalo y sirve sobre una cama de espinacas baby con pimientos asados y pesto de perejil.

Un tazón de muesli de cereal fortificado con hierro y un vaso de jugo de naranja todas las mañanas es un buen comienzo porque la presencia de vitamina C aumenta la absorción de hierro.

La deficiencia de HIERRO es la deficiencia de nutrientes más común y mucha gente tiene poco almacenamiento de hierro.

La deficiencia provoca cambios de humor, dificultad para concentrarse y para realizar actividades físicas, puede causar anemia. La gente que corre más riesgo de presentar deficiencia de hierro son las mujeres (en especial durante el embarazo), los infantes, personas que no se alimentan bien, los atletas y los vegetarianos.

Entre los factores que inhiben la absorción de hierro se encuentran las fitatas, el calcio, la proteína de soya y cocer a altas temperaturas durante periodos prolongados. Esto no significa que no tomes alimentos como la leche, pero trata de ingerirlos de manera separada de los que contengan hierro.

DEFICIENCIA: Los síntomas son fatiga, mala circulación, depresión, menor recuperación después del ejercicio, menor capacidad mental y física y anemia.

PRECAUCIÓN: Nunca tomes altas dosis de complemento a menos que sea bajo supervisión médica. Las personas con hemocromatosis, condición que les hace absorber muy bien el hierro, no deben aumentar la ingesta.

PRECAUCIÓN: Los niños menores de 6 años pueden confundir los complementos de hierro por dulces. Una sobredosis accidental de sólo 5 pastillas ocasiona la muerte, de manera que los complementos deben estar fuera del alcance de los niños.

MINERALES-MICROMINERALES

ZINC

REFERENCIA DE INGESTA DE NUTRIENTES
Mujeres: 7mg/día. (Lactancia: 9.5 a 13mg/día).
Varones: 9.5mg/día

RECETA: Los niños necesitan zinc para un crecimiento normal. Los adolescentes con problemas de acné pueden aumentar el zinc de su
dieta. Prepara una hamburguesa con pan integral, lechuga, carne molida preparada en casa,
queso cheddar y rebanadas de jitomate, zanahoria rallada y huevo frito.

FUENTES DE ALIMENTOS	mg por c/100g
Ostiones	59.2
Germen de trigo	17.0
Salvado de trigo	16.2
Hígado de ternera, frito	15.9
Bucino, hervido	12.1
Filete de res, magro, cocido	9.5
Levadura, seca	8.0
Micoproteína quorn	7.5
Semillas de calabaza	6.6
Piñones	6.5
Hígado de cordero, frito	5.9
Nueces de la India	5.9
Cangrejo, enlatado en salmuera	5.7
Carne molida de res, extra magra, guisada	5.8
Cangrejo, hervido	5.5
Nueces pecanas	5.3
Queso parmesano	5.3
Semillas de ajonjolí	5.3
Queso emmental	4.4
Nueces de Brasil	4.2
Polvo de curry	4.1
Salvado de trigo y de avena	4.0
Yema de huevo	3.9
Riñón de cordero, frito	3.6
Miso	3.3
Anchoas, enlatadas en aceite	3.5
Filete de cerdo, magro, asado	2.7
Queso cheddar	2.3
Pechuga de pollo, asada, sin piel	0.8
Tofu, al vapor	0.7
Leche, entera	0.4

Los vegetarianos quizá tengan problemas para
encontrar alimentos ricos en zinc que sea de
fácil absorción. Una deliciosa sopa de fideo con
miso, nori rallada y tofu en cuadritos ayuda a
la ingesta de zinc.

Los ostiones son los ganadores cuando se trata de zinc. Cómelos naturales o con tu salsa favorita y asados.

RECETA: Prepara pasteles de cangrejo con cangrejo enlatado, papas machacadas, hierbas frescas y queso cheddar rallado.

El ZINC sirve para muchas cosas. Es necesario para el apetito y para los sentidos del olfato y el gusto. Ayuda a combatir infecciones, mejora la inmunidad, mantiene sanos al cabello, piel, uñas, crecimiento y reparación tisular y es necesario para el desarrollo y la producción sexual. El zinc está involucrado en la acción de muchas enzimas que controlan varias funciones químicas en el cuerpo.

RECETA: Licua polvo de leche descremada, hojuelas de avena, germen de trigo, avellanas y mango fresco.

La res es una de las mejores fuentes de zinc. El espagueti a la boloñesa o carne de res stir-fry son maneras deliciosas de mantenerlo en la dieta.

DEFICIENCIA: Los signos son pérdida del sentido del gusto, olfato y de apetito, crecimiento y sanación de heridas deficiente, libido y cantidad de espermas reducido, pubertad tardía, piel reseca y descamada, caspa y susceptibilidad a infecciones. Las personas que corren riesgo de deficiencia son los alcohólicos, veganos, niños y ancianos con malas dietas.

PRECAUCIÓN: Los complementos de zinc pueden ocasionar problemas de toxicidad como irritación gastrointestinal, inmunidad reducida y menor absorción de cobre. Los complementos que contienen más de 50mg de zinc elemental deben evitarse pues ocasionan náusea, dolores de cabeza y menor absorción de cobre.

MINERALES-MICROMINERALES

COBRE

REFERENCIA DE INGESTA DE NUTRIENTES
Mujeres y varones: 1.2mg/día. (Lactancia:
1.5mg/día).

FUENTES DE ALIMENTOS	mg por c/100g
Hígado de ternera, frito	23.9
Hígado de cordero, frito	13.5
Ostiones	7.5
Bucino, hervido	6.6
Levadura seca	5.0
Cocoa en polvo	3.9
Puré de jitomate	2.9
Semillas de girasol	2.3
Nueces de la India	2.1
Camarones, hervidos	1.9
Cangrejo hervido	1.8
Nueces de Brasil	1.8
Bígaro, hervido	1.7
Semillas de calabaza	1.6
Semillas de ajonjolí	1.5
Tahini	1.5
Langosta, hervida	1.4
Nueces de nogal	1.3
Piñones	1.3
Avellanas	1.2
Nueces pecanas	1.1
Cacahuates	1.0
Calamar	1.0
Almendras	1.0
Polvo de curry	1.0
Pistaches, tostados, salados	0.8
Micoproteína quorn	0.8
Pasas	0.8
Mantequilla de cacahuate	0.7
Tempeh	0.7
Champiñones	0.7
Duraznos, secos	0.6

RECETA: Rellena un rollo integral de semillas de ajonjolí con tempeh. Trozos de tempeh marinado con un poco de aderezo de vinagre balsámico, aceite de girasol, ajo machacado y tahini. Sazona con pimienta negra molida. Ásalo al carbón y sirve con ensalada verde.

RECETA: Calienta a fuego lento el tempeh en un curry de coco sazonado y con nueces de nogal y las verduras que elijas.

El cobre está presente en grandes cantidades en todos los tipos de nueces y mantequillas de nueces. Guárdalas en el refrigerador para evitar que se pongan rancias en temperaturas más calientes.

Los ostiones son una fuente de cobre aunque los niveles varían según el lugar donde son cultivados. Los ostiones cocidos tienen casi el doble de cobre que los crudos.

El COBRE ayuda al cuerpo en el metabolismo del hierro y las grasas. Es necesario para mantener el músculo y tejido cardiacos y los sistemas nervioso central y el inmunológico. El cobre ayuda en la formación de melanina y es importante para el cabello y la piel sanos. La deficiencia es poco común pero ocasiona menor inmunidad, anemia, osteoporosis y degeneración del músculo cardiaco y del sistema nervioso.

RECETA: Fríe trozos de calamar con mucho ajo machacado, jengibre rallado y aceite de cacahuate hasta que el calamar se ponga blanco. Añade cebollín rebanado y un chorro de salsa de chile dulce y limón fresco.

MINERALES—MICROMINERALES

MANGANESO

RECETA: Hierve unos mejillones en vino blanco con limoncillo picado y jitomate picado. Toma el delicioso jugo con pan integral.

INGESTA SANA
Adultos: más de 1.4mg/día

FUENTES DE ALIMENTOS	mg por c/100g
Germen de trigo	12.3
Salvado de trigo	9.0
Piñones	7.9
Alga, nori, seca	6.0
Nueces de macadamia, saladas	5.5
Avellanas	4.9
Nueces pecanas	4.6
Avena	3.7
Champiñones, ostiones	3.6
Pan de centeno	3.5
Piña, seca	3.4
Nueces de nogal	3.4
Muesli, sin azúcar	2.6
Semillas de girasol	2.2
Micoproteína quorn	2.1
Cacahuates	2.1
Pan integral	1.9
Mantequilla de cacahuate	1.8
Almendras	1.7
Nueces de la India	1.7
Semillas de ajonjolí	1.5
Zarzamora	1.4
Crema de coco	1.3
Pasta integral, hervida	0.9
Arroz integral, hervido	0.9
Piña, enlatada en jugo	0.9
Berro	0.6
Pan blanco	0.5
Camote, horneado	0.5
Espinaca, hervida	0.5
Houmous	0.5
Manzanas, secas	0.5
Frijoles rojos, hervidos	0.5
Mejillones, enlatados o embotellados	0.5

RECETA: Para una malteada deliciosa licua zarzamoras, germen de trigo, avellanas, crema de coco y leche.

Aunque el manganeso está presente de manera natural en cereales y granos enteros, se elimina hasta un 90% en el procesamiento de manera que consume los que no hayan sido sometidos a dichos procesos.

Para aumentar el manganeso de tu dieta come moras frescas. Mezcladas con hielo y jugo de frutas son una bebida refrescante.

Las nueces, semillas y cereales integrales son buena fuente de nutrientes. Haz un praliné de nueces y semillas para comerlo como botana o sobre helado.

El MANGANESO desempeña muchas funciones en el cuerpo. Es un antioxidante efectivo; es necesario para la formación de huesos y de hormonas sexuales; participa en el metabolismo de carbohidratos y grasas; en la función cerebral sana. La deficiencia es poco común y poco probable en circunstancias normales.

En todos los tipos de alga se encuentran grandes cantidades de manganeso. Para añadir manganeso a tu dieta acompaña el arroz o ensaladas con alga nori tostada y rallada.

MINERALES-MICROMINERALES

YODO

REFERENCIA DE INGESTA DE NUTRIENTES
Mujeres y varones: 140mcg/día.
No es fácil establecer cifras exactas, a
continuación se listan buenas fuentes de yodo.

FUENTES DE ALIMENTOS

Pan
Mantequilla
Pimiento verde
Cereales
Queso cheddar
Almejas
Bacalao
Queso cottage
Cangrejo
Crema
Lácteos
Huevo
Fruta
Abadejo
Lechuga
Langosta
Carne
Leche
Mejillones
Ostiones
Cacahuate
Piña
Langostinos
Pasas
Salmón
Sal yodada
Sardinas
Algas
Espinacas
Atún, enlatado
Verduras

Los mariscos y pescados como el bacalao, halibut, salmón y abadejo son excelentes fuentes de este mineral. Las plantas cultivadas en tierra a orillas del mar absorben el yodo de la brisa marina.

RECETA: Cubre filetes de salmón en semillas de ajonjolí, envuélvelos con una tira ancha de nori y barniza las orillas para sellarlas. Fríelos en un sartén hasta que estén suaves y sirve con arroz al vapor y mayonesa.

Si no te gusta el pescado puedes obtener yodo de trozos de piña mezclada con fresas y coco rallado espolvoreado. Sirve con miel, queso cottage y pasas.

El YODO es esencial para la producción de hormonas producidas por la glándula tiroides, la cual regula el metabolismo del cuerpo, y promueve la síntesis de proteínas. El selenio también es necesario para la síntesis de la hormona tiroides.

RECETA: Pan de frutas con queso cottage y rebanadas de piña frita.

Debido a que en algunas regiones los niveles de yodo son bajos, se añade yodo a la sal y se vende como sal yodada. Si tu dieta es baja en sal debes verificar tus requerimientos de yodo. La deficiencia es poco común en las sociedades occidentales debido al consumo relativamente alto de sal.

DEFICIENCIA: Es poco común en sociedades occidentales, la deficiencia reduce la producción de la tiroides y ocasiona un metabolismo más lento, lo cual se traduce en cansancio y aumento de peso, la glándula tiroides aumenta de tamaño (bocio). Si hay deficiencia durante el embarazo hay mayor riesgo de muerte fetal, retraso mental y crecimiento deficiente en el bebé.

PRECAUCIÓN: La ingesta excesiva de yodo (30 veces la RNI) provoca hinchazón de la boca y las glándulas salivales, diarrea, vómito, dolor de cabeza y dificultad para respirar. Puede producir bocio, aunque es más común si existe deficiencia de yodo.

MINERALES-MICROMINERALES

CROMO

INGESTA SANA
Adultos: más de 25mcg/día.

FUENTES DE ALIMENTOS	mcg por c/100g*
Yema de huevo	183
Levadura de cerveza	112
Res	57
Queso cheddar	56
Hígado, todos los tipos	55
Vino, blanco, rojo	45
Pan integral	42
Pimienta negra	35
Pan de centeno	30
Chile	30
Ralladura de manzana	27
Papas	27
Ostiones	26
Papas de cambray	21
Margarina	18
Espagueti	15
Licores	14
Mantequilla	13
Espinaca	10
Clara de huevo	8
Naranja	5
Cerveza	3-30
Manzana, pelada	1

Los ancianos con dietas altas en alimentos refinados están en riesgo de sufrir deficiencia de cromo porque se pierde durante el molido de los granos. Consume pan integral en lugar de blanco y usa harina integral en lugar de blanca.

RECETA: Revuelve espagueti cocido con espinacas frescas, chile picado, pimienta molida, migajas de pan integral y mantequilla.

*Valores australianos

RECETA: Sirve rebanadas gruesas de pan integral con hojas de espinacas baby, filetes delgados de res y cebollas y champiñones a la parrilla. Sirve con una cucharada de crema agria con mostaza dulce. Acompaña con rodajas de papa.

El CROMO es esencial para el funcionamiento correcto de la hormona insulina y por lo tanto para mantener los niveles de azúcar. La deficiencia no es común pero puede presentarse en ancianos desnutridos y niños con dietas pobres. Los síntomas son altos niveles de glucosa e insulina en la sangre, colesterol y triglicéridos altos.

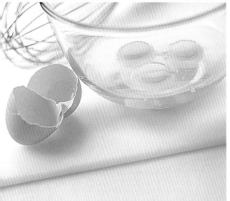

RECETA: Bate unos huevos, mucho queso cheddar rallado y cuece la mezcla en mantequilla derretida. Acompaña con espinacas.

Si usas utensilios de acero inoxidable, el cromo del acero se filtra a la comida y así aumenta tu ingesta de cromo.

MINERALES-MICROMINERALES

MOLIBDENO

INGESTA SANA

Adultos: 50-400mcg/día

No es fácil establecer cifras exactas, a continuación se listan buenas fuentes de molibdeno.

FUENTES DE ANIMALES

Chabacano
Cebada
Res
Pan de centeno
Pan integral
Col
Zanahoria
Coliflor
Cereales de grano
Queso
Pollo
Coco
Maíz
Cangrejo
Huevo
Ajo
Riñón
Cordero
Legumbres
Lentejas
Hígado, todos los tipos
Melón
Leche
Avena, rollos
Cebolla
Chícharos, verdes
Papa
Pasas
Arroz ingegral
Espinaca
Semillas de girasol

Un elote con mantequilla derretida para acompañar tu comida es una rica manera de agregar molibdeno a tu dieta.

La cantidad de molibdeno depende de la cantidad de molibdeno presente en la tierra de cultivo. El procesamiento reduce el nivel de molibdeno en los alimentos. Los huevos son menos susceptibles a la variación de la tierra y la dieta de las gallinas es monitoreada.

RECETA: Asa al carbón chuletas de cordero y sirve con coco, cacahuate, cebolla y chabacanos secos.

Curry de papa, chícharos y coliflor en leche de coco servido con arroz integral es una manera de agregar molibdeno a tu dieta.

El MOLIBDENO es necesario para activar ciertas enzimas importantes en el cuerpo, las cuales son necesarias para la síntesis del ADN y la producción de ácido úrico. Es importante para la formar productos de desecho para que sean eliminados del cuerpo. La deficiencia es poco común y no es probable que se presente bajo condiciones normales.

Si eres vegetariano prepara lentejas rojas o verdes, hervidas o enlatadas, fritas con cebolla en un poco de ghee con especias, hojas de curry y caldo.

MINERALES-MICROMINERALES

FLORURO

No RNI o ingesta segura para adultos. No es fácil establecer cifras exactas, a continuación se listan buenas fuentes de floruro.

FUENTES DE ALIMENTOS

Manzana
Espárrago
Cebada
Remolacha
Col
Queso cheddar
Maíz
Pescado fresco
Pescado enlatado
Frutas cítricas
Col rizada
Leche de cabra
Leche descremada
Mijo
Avena
Arroz
Salvado de arroz
Sal de mar
Mariscos
Espinacas
Té
Agua con flúor
Berro

Los vegetarianos pueden disfrutar de una ensalada de remolacha, espinaca, manzana y queso de cabra con aderezo de jugo de naranja, vinagre balsámico y aceite de oliva extra-virgen.

El té contribuye a la ingesta de floruro si se consume en grandes cantidades y dependiendo de la cantidad de hojas secas que se usen, el tiempo de reposo y el contenido de floruro en el agua.

RECETA: Para aumentar el floruro fríe camarones o mariscos mixtos con espárragos en mucho ajo, mantequilla y aceite. Sirve sobre arroz al vapor.

Las personas que no beben agua con floruro pueden obtenerlo al incorporar mariscos en su dieta.

El FLORURO está contenido en los huesos del cuerpo y en los dientes. Reduce la posibilidad de deterioro y decoloración dental. Por ello se añade a la pasta de dientes y al agua. El floruro fortalece los huesos. Hay quienes creen que el agua con floruro provoca problemas de salud, pero no existe evidencia de ello.

Los alimentos absorben el floruro del agua de cocción. La comida que se cuece en sartenes de teflón absorbe floruro del teflón, mientras que al cocinar en utensilios de aluminio disminuye el contenido de floruro de la comida porque el aluminio lo extrae de ella.

MINERALES-MICROMINERALES

SELENIO

REFERENCIA DE INGESTA DE NUTRIENTES
Mujeres: 60mcg/día. (Lactancia: 75mcg/día).
Varones: 75mcg/día.

Las nueces de Brasil encabezan la lista de las fuentes de selenio. Cómelas como botana o sírvelas picadas con helado.

FUENTES DE ALIMENTOS	mcg por c/100g
Nueces de Brasil	1530
Riñón de cerdo, frito	270
Nueces y pasas mixtas	170
Langosta, hervida	130
Atún, enlatado en aceite	90
Riñón de cordero, frito	88
Limanda falsa, hervida	73
Calamar	66
Salmonete, asado	54
Vieira, al vapor	51
Sardina, enlatada en aceite	49
Semillas de girasol	49
Arenque, asado	46
Camarones, hervidos	46
Platija, asada	45
Mejillón, hervido	43
Arenque, ahumado	43
Macarela, enlatada en salmuera	42
Pan integral	35
Bacalao, hervido	34
Salmón, asado	31
Bollo integral de frutas	31
Pan de levadura tostado	24
Langostinos, hervidos	23
Houmous	23
Ostiones	23
Filete de cerdo, magro, asado	21
Yema de huevo	20
Cangrejo, hervido	17
Pechuga de pollo, asada, sin piel	16
Queso cheddar	12
Huevo, frito	12

RECETA: Sándwiches de pan integral con hummus, atún enlatado y verduras para ensalada. Es una excelente manera de satisfacer los requerimientos de selenio.

RECETA: Anitpasto de mariscos con ostiones, mejillones marinados, calamares asados al carbón y camarones cocidos.

El seleno es fácilmente absorbido a través de la piel y los champús que lo contienen son muy buenos para el tratamiento de la caspa o para el cuero cabelludo seco.

El SELENIO es conocido por sus propiedades antioxidantes y trabaja con la vitamina E para proteger al cuerpo de los radicales libres. Es esencial para la producción de la hormona tiroides que regula el metabolismo y nos protege de enfermedades coronarias. La deficiencia de selenio no es común. No tomes complementos que contengan más de 200mcg. Los síntomas incluyen nerviosismo, depresión, náusea, vómito, pérdida de cabello y uñas.

RECETA: Asa al carbón triángulos de pan pita integral barnizados con aceite. Sirve con camarones y cous cous de nueces de Brasil y pasas con aderezo de yogurt, menta y chutney de mango.

ÍNDICE